D0245591

L'histoire De France

Édition et réalisation graphique : Le Pré Carré
Suivi éditorial, recherches iconographiques : Clotilde Lefebvre
Contribution rédactionnelle : Julie Wood et Isabelle de Coulibeuf
Maquette : Natacha Kotlarevsky
Illustrateurs : Pierre-Emmanuel Dequest, Paolo Ghirardi, Étienne Souppart, Dominique Thibault
Cartographie : Édigraphie
Relecture : Éliane Rizo

Auteurs :
- Philippe Boissinot (Préhistoire et Antiquité). Archéologue et chercheur à l'École des hautes études en sciences sociales (EHESS), spécialiste de la fin de l'âge de fer dans le midi de la France, et tout particulièrement des vignobles grecs autour de Marseille.
- Marie-Claude Bossuat (La France contemporaine de 1945 à nos jours). Agrégée d'histoire et de géographie, ancien professeur de collège, actuellement chargée de cours à l'Université de Cergy-Pontoise (histoire des religions).
- Patrick Facon (La France contemporaine de 1870 à 1945). Docteur en histoire contemporaine, directeur de recherches au Service historique de la Défense (SHD-château de Vincennes), maître de conférences à l'Institut d'études politiques de Paris, chargé de cours à l'Université de Versailles Saint-Quentin, spécialiste de l'histoire politique et militaire contemporaine et plus particulièrement de l'histoire de l'aviation.
- François Pernot (Histoire moderne et histoire contemporaine jusqu'en 1870). Docteur et maître de conférences en histoire moderne, directeur du département de géographie et d'histoire de l'Université de Cergy-Pontoise, spécialiste de l'histoire politique et militaire de l'Europe des xve-xxe siècles.
- Marc Viré (Moyen Âge). Archéologue à l'Institut national de recherches en archéologie préventive (IN-RAP), spécialiste de l'habitat et de la construction au Moyen Âge. Anime un chantier d'archéologie expérimentale à Louvre-en-Parisis (fouille et reconstitution d'un village carolingien autour du château d'Orville). Chargé de cours à l'Université de Cergy-Pontoise (archéologie médiévale).

Direction éditoriale : Christophe Savouré
Suivi de projet : Françoise Ancey et Émilie Lesage
Direction artistique : Laurent Quellet et Armelle Riva
Conception graphique de la collection : Killiwatch
Fabrication : Thierry Dubus et Sabine Marioni

© 2005 Fleurus Editions
Dépôt légal : novembre 2005
ISBN : 2 215 05318-6
N° d'édition : 93714

Édition brochée 02 n° M 10079, mai 2010
Code MDS : 590873 - ISBN : 978 2 215 05596-9

Photogravure : Dupont Photogravure
Imprimé en Chine en mai 2010 par Book Partners China Ltd.
Loi n° 49-956 du 16 juillet 1949 pour les publications destinées à la jeunesse.

ENCYCLOPÉDIE junior

L'histoire De France

FLEURUS
fleuruseditions.com

Sommaire

la France contemporaine

Préhistoire et Antiquité

Cette très longue période – plus d'un million d'années – ne nous est connue que par les découvertes des archéologues. Car jusqu'à la conquête romaine et l'adoption de l'alphabet latin, les peuples qui habitent le territoire de la France actuelle ne connaissent pas l'écriture et n'ont laissé aucun témoignage écrit sur leur vie. Ces Celtes (ou Gaulois), décrits pour la première fois par Jules César, sont le fruit de nombreux métissages depuis la Préhistoire. D'autres populations ont occupé les lieux avant eux. Nous ne connaissons pas leur nom, mais nous pouvons en écrire l'histoire…

Les premiers occupants

L'Afrique semble être le berceau de l'humanité : les premiers êtres à marcher debout, les Australopithèques, y sont connus vers 3,2 millions d'années. Le peuplement de l'Europe, et par conséquent de la France, ne commence que beaucoup plus tard, entre 1 et 2 millions d'années, avec une autre espèce, *Homo erectus*.

Des faiseurs d'outils

Peu de traces de la première présence humaine subsistent en France. Les plus anciens indices ont été mis au jour dans le Massif central : il s'agit de morceaux d'os et de quartz retrouvés dans une couche très ancienne du sol. Vers 1 million d'années, les témoignages se multiplient, surtout dans le Midi : on trouve alors des outils taillés dans des galets. *Homo erectus* avait découvert qu'en heurtant une pierre contre une autre, il détachait quelques éclats et lui donnait la forme qu'il désirait. Cette période est appelée Paléolithique inférieur, ce qui signifie "l'âge de la pierre ancienne" en grec.

Biface servant de racloir.

L'art de tailler les pierres

Ces premiers outils permettent de découper la viande, de fabriquer d'autres objets et d'aménager un espace de vie. L'outil le plus perfectionné est le biface : une pierre taillée sur les deux faces, avec deux tranchants qui convergent vers une pointe. Les plus anciens datent d'environ 700 000 ans av. J.-C. Avec le temps, ils tendent à devenir de plus en plus réguliers, comme si l'homme cherchait à en faire de beaux objets. On trouve aussi des racloirs, des pointes, des grattoirs et des sortes de couteaux.

Un froid à vous geler les os

Homo erectus est arrivé dans une Europe recouverte par les glaces. Au moment le plus froid du Paléolithique, un immense glacier recouvre les Alpes et les sols sont continuellement gelés sur presque toute la France. Seul le Sud de l'Europe est recouvert d'une steppe froide. Plusieurs périodes de glaciation se succèdent, entre lesquelles le climat se réchauffe ; la végétation change alors.

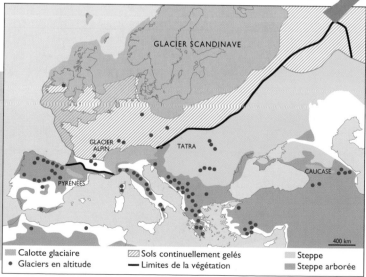

L'Europe au temps des glaciations.

GLACIER SCANDINAVE

GLACIER ALPIN

TATRA

PYRÉNÉES

CAUCASE

400 km

Calotte glaciaire · Glaciers en altitude — Limites de la végétation
Sols continuellement gelés
Steppe · Steppe arborée

Une vie nomade

L'habitat des hommes est d'abord très rudimentaire comme dans la grotte du Vallonnet près de Nice, qui tient plus d'une tanière. Lorsqu'ils campent en plein air, ces hommes doivent construire des huttes en branchages, calées à la base par quelques blocs de pierre. Avec la découverte du feu, les premiers signes d'aménagement apparaissent: des foyers bien sûr, et aussi des dallages en galets pour se protéger de l'humidité. Mais l'homme n'habite ces lieux que pour de courtes durées car il mène une vie nomade. Il se déplace régulièrement et survit grâce à la chasse et à la cueillette. Dès le départ, il s'attaque à de grands animaux : éléphants, rhinocéros et bovidés.

Campement de Terra Amata, près de Nice.

Un profil fuyant

Le crâne humain le plus ancien de France a été découvert dans une grotte du Roussillon, à Tautavel. L'individu fréquentait les lieux 450 000 av. J.-C. et appartenait à l'espèce *Homo erectus*. Comme ses pairs, il était robuste, avec un front fuyant, des dents volumineuses, pratiquement pas de menton et un cerveau de petite taille. Un vrai prix de beauté!

Une trouvaille géniale

Après l'outil, l'autre invention capitale est celle du feu, vers 600 000 av. J.-C. *Homo erectus* découvre qu'en faisant pivoter rapidement un bois sec dans un autre, ou encore en frappant certaines pierres (pyrite et silex) entre elles, il peut allumer un feu. Grâce à cette technique, l'homme cuit désormais sa nourriture qui devient plus digeste et se conserve mieux. Le feu facilite également le travail du bois et des silex et permet aussi d'écarter les bêtes sauvages : le clan peut désormais s'endormir sans inquiétude, bien au chaud.

Neandertal et Cro-Magnon

De 100 000 à 10 000 ans av. J.-C., deux espèces humaines se croisent : Neandertal et Cro-Magnon. Ces êtres accordent une attention plus grande à la mort et à la beauté. L'homme moderne est en marche.

Harpons en bois de renne.

Un véritable Européen

L'homme de Neandertal est la seule espèce humaine originaire d'Europe. Ces ossements ont été découverts, en 1857, dans la vallée du Neander, en Allemagne, d'où son nom. Les sites qu'il a fréquentés sont très nombreux en France. Chassés par l'avancée des glaciers, les Néandertaliens se sont peu à peu déplacés vers le sud, jusqu'au Moyen-Orient. Ce sont des hommes incroyablement robustes et de petite taille (1,65 m environ). Si le volume de leur cerveau est comparable au nôtre, l'aspect de leur visage doit être bien différent : leur crâne laisse deviner une face large et haute, sans pommettes, un front et un menton fuyants et de forts bourrelets au-dessus des yeux.

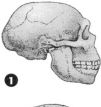

❶

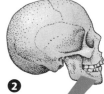

❷

Cro-Magnon ❷ ne présente pas de bourrelets importants au-dessus des yeux comme les Néandertaliens ❶, et possède une face droite avec un menton bien développé.

Les premières sépultures

Les Néandertaliens ont été les premiers à enterrer leurs morts. Les cadavres de leurs proches ne sont plus mangés ou laissés aux bêtes sauvages, mais mis à l'abri et parfois accompagnés par des objets. C'est une étape très importante dans l'histoire de l'humanité : cela signifie que l'homme de Neandertal croit à une vie après la mort, à un autre monde.

Le campement de Pincevent vers 12 300 ans av. J.-C. : chaque année, en septembre, des chasseurs de rennes s'établissent près de la Seine, à côté d'un gué utilisé par le gibier. Les hommes fabriquent les armes, chassent et découpent la viande. Les femmes préparent les peaux et font sécher la viande pour l'hiver.

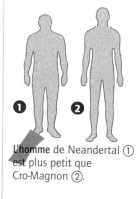

❶ **❷**

L'homme de Neandertal ❶ est plus petit que Cro-Magnon ❷.

Deux hommes de Neandertal enterrent leur proche dans une fosse.

Chassé-croisé mystérieux

Les Néandertaliens se sont éteints vers 32 000 ans av. J.-C. mais on ignore pourquoi. On sait qu'ils ont coexisté pacifiquement durant quelques millénaires avec les hommes modernes venus d'Afrique, les *Homo sapiens sapiens*. Ces nouveaux venus, plus grands (1,80 m en moyenne), sont de type Cro-Magnon, d'après le nom d'un gisement archéologique de Dordogne.

Un inventeur doué

L'arrivée des hommes modernes vers 35 000 ans av. J.-C. marque une nouvelle période de la Préhistoire : le Paléolithique supérieur. Avec eux, apparaît la fabrication des lamelles de silex qui permettent notamment de faire des flèches. Des objets en os ou en bois de rennes viennent compléter la liste des outils : sagaies, propulseurs, harpons, perçoirs, aiguilles et hameçons. Cro-Magnon pratique donc la chasse, la pêche et la couture (vêtements, tentes). Il a le sens du beau et porte des colliers et des bracelets faits de dents percées ou de coquillages perforés.

Rôtie ou bouillie ?

Cro-Magnon ne fait pas seulement rôtir sa viande. Pour bouillir ses aliments, il fabrique une outre avec un viscère de renne qu'il remplit d'eau et chauffe à l'aide de pierres brûlantes, introduites avec des baguettes de bois.

Pour débiter de petites lames de silex, l'homme de Cro-Magnon utilise une béquille, un bâton muni d'un crochet de bois, qu'il appuie contre le silex. En faisant pression avec son ventre, il détache une fine lamelle.

Territoires et campements de chasse

Les hommes de cette période pratiquent en groupe la chasse aux grands mammifères. Les animaux et les végétaux sont suffisamment abondants pour qu'ils ne soient pas constamment obligés de se déplacer pour se nourrir. Mais ils changent de camp régulièrement. Dans un de ces campements de chasseurs, à Pincevent, dans la région parisienne (*ci-contre*), les fouilles ont livré les restes de huttes circulaires faites de morceaux de bois et de peaux de bêtes. Le foyer est placé vers l'entrée et la plupart des activités, comme la taille du silex, ont lieu à l'extérieur.

Les premiers artistes

Entre 32 000 et 10 000 av. J.-C., au Paléolithique supérieur, l'homme ne consacre plus toute son énergie et son intelligence à sa survie : il réalise les premières œuvres d'art et invente un langage de symboles.

Figures humaines

Cro-Magnon a peint des représentations humaines, mais elles sont presque toujours incomplètes et un peu schématiques comparées au dessin des animaux. Dans une trentaine de grottes, des mains apparaissent en négatif, selon la technique du pochoir : l'homme a pulvérisé du colorant tout autour de sa main, posée contre la paroi. Les doigts sont parfois repliés selon un code que l'on ne connaît pas. C'est parmi les objets qu'il faut chercher les représentations les plus réalistes : les statuettes de femmes en pierre (*ci-dessus*), en os ou en bois de renne sont relativement nombreuses.

Comment s'éclairait-on dans les grottes ?

Pour peindre et se déplacer dans les grottes, les hommes du Paléolithique utilisent des torches en bois résineux. Ils fabriquent aussi des lampes en mettant de la graisse animale dans le creux d'une pierre et en utilisant des lichens pour faire une mèche. Cela ressemble à une bougie !

Des grottes ornées

Ces premières œuvres d'art ornent les parois de grottes, particulièrement nombreuses dans le sud-ouest de la France : on y a découvert 150 cavités ornées. L'homme de Cro-Magnon ne disposait pas ses dessins et ses gravures au hasard sur la paroi : il suivait un certain ordre et utilisait quelquefois le relief de la grotte, se servant par exemple d'une fissure pour dessiner le dos d'un cheval. La partie la plus profonde de la cavité est souvent la plus décorée car la moins accessible et la mieux conservée. C'est pourquoi les archéologues du xxe siècle ont pensé à l'existence de cérémonies secrètes : initiations à la chasse pour certains, lieux sacrés gardés par des chamanes (sortes de sorciers) pour d'autres.

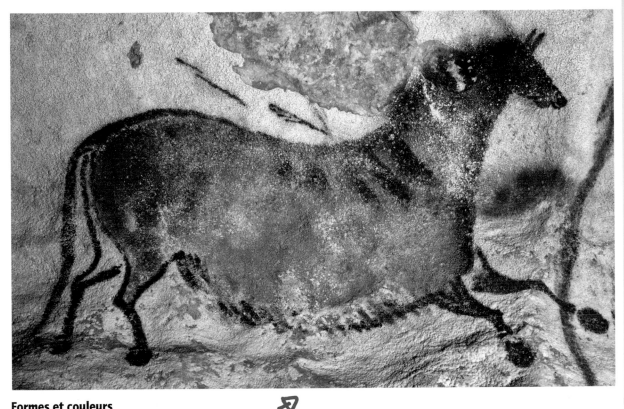

Formes et couleurs

Sur les parois des grottes, les figures sont quelquefois gravées ou sculptées, comme dans les Pyrénées où l'on a découvert au fond de deux cavités de magnifiques bisons modelés dans l'argile. Mais la majorité sont peintes avec des pigments naturels : du manganèse pour le noir, du kaolin pour le blanc et toutes les nuances de l'ocre pour les jaunes et les rouges.
Ces représentations montrent des animaux regroupés ou s'affrontant, souvent vus de profil, mais il est difficile d'y voir une histoire. À la fin du Paléolithique, vers 10 000 ans av. J.-C. environ, cette forme d'art disparaît. On ne trouve plus alors que des motifs géométriques, généralement peints sur des galets.

Une arche de Noé

La totalité des animaux figurés constitue une véritable arche de Noé : mammouths, rhinocéros, bouquetins, ours, loups ou renards, phoques et panthères. Il y a aussi des rapaces nocturnes et des poissons d'eau douce (saumons et truites). Les animaux les plus représentés sont les chevaux et les bisons. Les animaux les plus consommés par l'homme, les rennes, sont plus rares et plutôt gravés sur des objets.

Des signes indéchiffrables

L'homme moderne a également dessiné de très nombreux signes géométriques ; ils peuvent être très simples, comme des points ou des bâtonnets, ou plus complexes, comme des damiers ou des sortes de toits de maisons. Ils sont parfois associés aux peintures. Certains archéologues pensent que ces signes étaient des marques de reconnaissance pour les tribus, ce qui expliquerait pourquoi ils varient tant d'une région à l'autre.

Les premiers agriculteurs

L'agriculture et l'élevage naissent en Orient vers 8000 av. J.-C. Les hommes ne se contentent plus de cueillir ou de chasser pour se nourrir et se rassemblent dans des villages. Ce nouveau mode de vie atteint l'Europe un millénaire plus tard.

Vase datant du IIIe millénaire av. J.-C., en céramique. Grâce à cette nouvelle matière, soupes et bouillies peuvent mijoter sur les braises.

Des techniques révolutionnaires

Cette nouvelle période, marquée par un réchauffement du climat, est connue sous le nom de Néolithique : l'âge de la "nouvelle pierre".
Car outre l'élevage et l'agriculture, d'importantes innovations voient le jour : l'homme polit la pierre pour fabriquer des haches qui lui permettent de couper les arbres et de dégager des clairières dans la forêt ; il modèle les premières poteries, très utiles pour cuire des bouillies de céréales. Toutes ces techniques arrivent en Occident avec la venue de nouveaux habitants qui s'installent sur les bords de la Méditerranée et dans le nord de la France.

Paysans du Midi

Vers 5500 av. J.-C. de nouvelles populations s'installent en effet dans le Midi. Ils amènent avec eux des animaux domestiqués, le mouton et la chèvre principalement. On a découvert quelques-unes de leurs bergeries dans des abris sous roche. Ils décorent leurs céramiques à l'aide d'un coquillage, le cardium : ils enfoncent la coquille dans l'argile fraîche pour tracer des dessins en zigzag. D'où le nom donné à leur civilisation : le "Cardial". Ils cultivent du blé tendre et de l'orge, mais pratiquent encore la chasse et la pêche, comme les anciens habitants des lieux, appelés "Castelnoviens" par les archéologues.

Bergerie du Midi, aménagée dans une grotte.

Les haches, d'abord taillées grossièrement dans des roches, sont ensuite polies sur une pierre en faisant un va-et-vient dans une rainure. On les fixe enfin sur un manche par l'intermédiaire d'un bois de cerf.

Paysans du Nord

Le "Rubané" est la civilisation des premiers agriculteurs qui sont arrivés au VIe millénaire dans le nord de la France, après avoir suivi la vallée du Danube. Là encore, ce nom vient du décor en rubans de leur céramique. Ils élèvent surtout des bœufs et consomment des céréales, mais moins de lentilles et de pois que dans le Midi. Après quelques récoltes, le sol ne produisant plus, ils migrent un peu plus loin. C'est ainsi que l'on explique le déplacement de ces hommes du Néolithique.

Les premières maisons

Puis les deux courants, sud et nord, finissent par se rejoindre. Peu à peu, les derniers chasseurs-cueilleurs disparaissent, les villages d'agriculteurs se font plus nombreux. Ils ne comptent pas plus d'une dizaine de maisons et ne sont pas très organisés : on n'y trouve ni clôture ni cimetière. Les richesses semblent partagées par tous. Des fouilles archéologiques dans le nord de la France ont permis de reconstituer la maison de ces premiers paysans (*ci-dessus*). L'armature est faite de poteaux de bois et les murs constitués d'un mélange d'argile et de paille (torchis), déposé sur un entrecroisement de branchages. Les habitations sont longues et comportent généralement trois pièces : la première où l'on stocke les récoltes, la seconde où l'on cuisine et vit, et la troisième où l'on dort.

Vent en poupe

Au Néolithique, les hommes naviguent déjà et pas seulement sur les lacs et les rivières ! Le peuplement de certaines îles ou le transport de certains matériaux montrent que ces hommes peuvent franchir de longues distances en mer. Des pirogues, creusées dans des troncs d'arbres ont d'ailleurs été retrouvées.

Des bâtisseurs de mégalithes

La recherche de nouvelles terres a conduit les premiers agriculteurs jusqu'au bord de l'océan Atlantique. Ne pouvant aller plus loin, ils se fixent et marquent leur territoire en construisant des monuments pour leurs morts.

Des tombeaux collectifs

Ces monuments sont construits avec d'énormes (*mega* en grec) pierres (*lithos*), d'où leur nom de mégalithes. Les plus courants sont les dolmens, un mot breton qui signifie "table de pierre". Il s'agit en réalité de tombes collectives : dans toute l'Europe, entre le Vᵉ et le IIIᵉ millénaire, les hommes regroupent leurs morts et les honorent en tant qu'ancêtres. Le dolmen est tout ce qui subsiste de la chambre dans laquelle étaient déposés les défunts. On y accédait par un long couloir fermé par une dalle amovible. L'ensemble était recouvert d'un gros tas de pierres appelé "tumulus". Un tumulus pouvait contenir plusieurs chambres comme à Barnenez, en Bretagne. Pour honorer la mémoire des morts, on déposait des offrandes : poteries, armes ou parures. La région française la plus riche en mégalithes n'est pas la Bretagne, mais le Midi : ils y sont plus nombreux, mais aussi plus petits et plus récents.

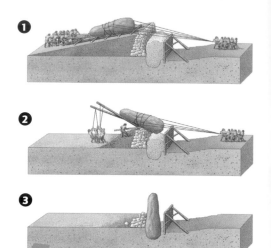

Comment les hommes du Néolithique réussissaient-ils à manipuler des pierres de plusieurs tonnes ? Ils entouraient le menhir (ou la dalle de couverture) de grosses cordes en lin et glissaient en dessous des troncs d'arbres qui formaient des sortes de rails démontables ①. En tirant la pierre et en la poussant à l'aide de leviers, ils la faisaient rouler dessus sur plusieurs kilomètres. Cales et leviers permettaient de la redresser ② et de la placer dans la fosse où on la calait avec un empierrement ③.

Coupe d'un tumulus abritant deux chambres funéraires ou dolmens.

L'énigme des statues-menhirs

Certains menhirs, grossièrement taillés, figurent une silhouette humaine sur laquelle on a légèrement gravé ceinture, parures et armes. Peut-être ces stèles servaient-elles à honorer un ancêtre ?

De mystérieuses pierres levées

Menhir est un autre mot breton qui veut dire "pierre longue". On désigne ainsi de grandes pierres fichées dans le sol, dont on ignore la signification. S'agit-il de monuments indicateurs, de stèles pour se souvenir d'un événement ? Jouaient-ils un rôle religieux ? Celui de Locmariaquer atteignait 21 m de haut et pesait 350 t avant de tomber et de se briser ! À Carnac, 4 000 menhirs sont disposés en lignes sur 4 km… On pense que ces alignements étaient liés aux observations astronomiques.

Tous aux abris

En même temps que se développent les monuments mégalithiques, les villages se multiplient. Dans les plaines de l'ouest et du nord de la France, on les nomme "enceintes" car ils sont généralement entourés d'un ou plusieurs fossés, et parfois de palissades. À l'intérieur, la surface n'est pas entièrement bâtie. Certaines de ces enceintes servent de lieux de rassemblement ou de culte. Dans la région de Montpellier, la garrigue abrite aussi à l'Âge du cuivre (vers 2200 av. J.-C.) de nombreux villages de cinq cabanes au plus, entourés d'une enceinte en pierres sèches. Dans d'autres régions comme le Jura, les paysans s'établissent au bord d'un lac et se protègent de la montée des eaux en construisant leurs maisons sur pilotis.

Vers 2200 av. J.-C., les habitants de Boussargues, près de Montpellier, vivent de la récolte des glands de chêne dont ils font de la farine.

Un menhir de retard

Obélix n'aurait jamais dû tailler des menhirs ! À l'époque des Gaulois, il y avait bien longtemps qu'on ne s'intéressait plus aux grosses pierres. Les auteurs, Uderzo et Goscinny, ont repris les idées d'historiens du XIXe siècle qui pensaient que les Celtes avaient érigé les constructions mégalithiques. Selon eux, les dolmens étaient des tables de sacrifice !

Les premiers métallurgistes

Au IIIe millénaire av. J.-C., les hommes découvrent comment purifier les minerais pour obtenir du métal et fabriquer de redoutables armes. Cette invention a lieu en Orient, ou en Europe de l'Est, puis se propage vers l'ouest.

Le cuivre, d'abord

À l'état naturel, le cuivre, l'or et l'argent sont rarement purs. Pour séparer le métal des impuretés qu'il contient, il faut faire fondre les pépites à de fortes températures. C'est ce qu'on appelle la réduction. On peut ensuite transformer le métal en objets. En France, les plus anciens objets métalliques sont en cuivre. Ils apparaissent très tôt en Corse et sur le versant sud du Massif central puis se répandent dans le reste du territoire par la vallée du Rhône.

Zone éclairée de l'atelier d'un bronzier.

Cuirasse de bronze trouvée en Haute-Marne, datant du IXe ou VIIIe siècle av. J.-C.

L'Âge du bronze

Dans un deuxième temps, l'homme s'aperçoit que le mélange de deux métaux, appelé alliage, peut comporter des avantages : faciliter le moulage, abaisser la température de fusion ou rendre l'objet plus dur. C'est ainsi qu'il invente le bronze en mélangeant du cuivre et de l'étain. En France, cette technique apparaît vers 1900 av. J.-C. Ces métaux étant inégalement répartis en Europe, des réseaux d'échanges se mettent en place. La plupart des objets en bronze sont des armes ; celles-ci évoluent tout au long de cette longue période qui dure jusqu'en 700 av. J.-C. Les poignards triangulaires du début sont remplacés par des épées, puis apparaissent des armes défensives comme des casques et des cuirasses.

Secrets de fabrication

Le travail du bronze
est l'affaire
de spécialistes,
les bronziers.
Dans une zone sombre
de l'atelier, à l'abri
du vent, cuivre et étain
sont mis à fondre
dans un creuset ①.
Dans la partie bien
éclairée, on prépare
les moules. Le bronzier
peut utiliser un modèle
en pierre ② ou en
fabriquer un en cire qu'il
englobe ensuite d'argile ③,
en laissant un trou. En plaçant
le moule sur des braises ④, la cire fond et laisse
un vide qui correspond à la forme de l'objet.
On le remplit de métal en fusion ⑤. Après cinq minutes,
le bronzier brise le moule en terre ⑥ pour récupérer
l'objet métallique. L'épée brute est retouchée à froid
sur une enclume ⑦ et recuite régulièrement pour qu'elle
ne se fissure pas. Puis on la frotte avec du sable fin
ou une peau ⑧. Le décor est ensuite ciselé ou gravé
à l'aide de poinçons ⑨.

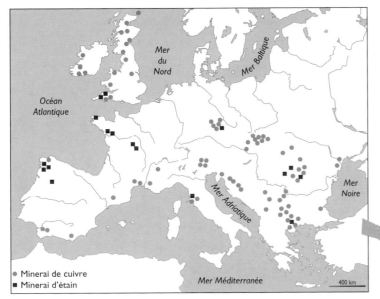

Zone sombre
de l'atelier d'un bronzier.

Du fer pour… faire la guerre

Puis vient la métallurgie du fer.
Ce sont les Hittites, dans la Turquie
actuelle, qui mettent au point
cette technique vers le milieu du
IIe millénaire av. J.-C. Le traitement
du fer est plus compliqué que celui
du bronze car sa fusion demande
des températures très élevées, et donc
des fours élaborés. Cette technique
n'arrive en Gaule que vers le VIe siècle
av. J.-C. Le fer ne détrône pas
complètement le bronze mais
s'impose avec la longue épée
du cavalier qui fait le succès
des guerriers celtes (voir p. 23).

Mer
du
Nord

Mer Baltique

Océan
Atlantique

Mer Noire

Mer Adriatique

Mer Méditerranée

400 km

● Minerai de cuivre
■ Minerai d'étain

Répartition des mines de cuivre et d'étain
en Europe. L'étain, dont les principaux gisements
se trouvent en Cornouaille, en Bretagne
et en Allemagne centrale, est vendu sous forme
de lingots à travers toute l'Europe.

La fondation de Marseille

Vers 600 av. J.-C., les Phocéens, des commerçants grecs originaires d'Asie Mineure (Turquie actuelle), s'aventurent sur les côtes occidentales de la Méditerranée. Ils y rencontrent des peuplades bien différentes d'eux et fondent une colonie, Massilia.

La légende raconte que ces Grecs ont débarqué sur une côte rocheuse habitée par des Ligures, un peuple appartenant sans doute à la grande famille des Celtes. Dès leur arrivée, ils sont invités au mariage de la fille du roi Nann, Gyptis.

Selon la coutume, celle-ci doit choisir son futur mari parmi les invités en lui tendant une coupe à boire. Elle choisit Protis, l'un des chefs de la flotte grecque. À la suite de cette union, Massilia est créée sur un promontoire au-dessus d'un port naturel bien abrité.

La ville est construite à la manière grecque : les maisons en pierres et en briques crues sont alignées le long des rues droites sur plusieurs collines protégées par un rempart. Des monuments,

Victime de ses alliances

Pourquoi la plus ancienne ville du pays, qui fut longtemps une alliée de Rome, n'est-elle pas devenue la capitale des Gaules à la fin de la conquête romaine ? Tout simplement pour avoir fait le mauvais choix : au cours de la guerre civile qui oppose les généraux romains César et Pompée, Massilia se range aux côtés du... perdant, Pompée. La ville est assiégée en 49 av. J.-C. et perd une partie de son territoire tout en gardant son indépendance. Narbonne lui est préférée comme capitale de la Province, puis Lyon, pour l'ensemble des Gaules.

comme les temples d'Artémis et d'Apollon, y sont édifiés avec des pierres de grande dimension. La cité prend son essor vers 540 av. J.-C. : par la vallée du Rhône, les Grecs exportent en Gaule intérieure leur vin, leurs amphores et de la céramique.

D'autres colonies sont fondées le long de la côte, à Nice, Antibes, Hyères et Arles. Grâce à ces implantations, Grecs et Celtes entrent en contact. Même si des conflits éclatent rapidement, l'influence des Phocéens se fait vite sentir dans tout le midi de la

France. Les populations locales découvrent et adoptent la culture de la vigne et de l'olivier, l'écriture et le travail de la pierre. Les Celto-Ligures inventent alors un art original dont témoignent aujourd'hui quelques très belles statues.

Princes et princesses celtes

À l'intérieur des terres, une minorité de guerriers profite de ces échanges avec la Méditerranée et s'enrichit. Ces "princes" locaux contrôlent des routes commerciales où circulent l'étain, des denrées périssables comme le vin de Marseille et très certainement des esclaves.

L'une des extrémités du torque d'or de Vix, ornée d'un petit cheval ailé. La présence de ce Pégase, créature de la mythologie grecque, traduit une influence hellenistique.

La tombe de Vix

En janvier 1953, René Joffroy, un professeur de collège passionné d'archéologie, fait dans la commune de Vix, en Bourgogne, l'une des plus grandes découvertes archéologiques françaises. En sondant un champ, il remarque un gros objet de bronze qui sort de la boue. C'est un vase, le plus grand que l'Antiquité nous ait laissé ! Il est extrait avec difficulté et suivi de magnifiques coupes, cruches et bassins, grecs ou étrusques. Tous ces objets proviennent d'une fosse de 9 m² : la tombe d'une princesse celte (vers 500-470 av. J.-C.). Allongée sur un char, elle est parée de nombreux bijoux, dont un superbe torque en or, collier ouvert typiquement celte.

Des tombes somptueuses

Ces nouveaux dirigeants apparaissent à la fin du premier Âge du fer, vers 650 av. J.-C., dans le nord-est de la France, mais aussi dans une partie de l'Allemagne, de la Suisse et de l'Autriche. Les archéologues les ont appelés "princes" car ces chefs guerriers semblent avoir concentré en leurs mains un grand pouvoir. Ils contrôlent un territoire de la taille d'une région, possèdent des domaines agricoles et entretiennent sans doute une armée. Leurs tombes, mises au jour par les fouilles, témoignent de cette prospérité. Sous un immense tumulus, le défunt repose sur un char à quatre roues, entouré d'un mobilier prestigieux. Ce sont des armes, des bijoux, mais aussi une très belle vaisselle en bronze importée de Grèce ou d'Étrurie (Italie centrale ou du Nord). Ces services à boire montrent que l'alcool est alors un bien rare, consommé lors de banquets durant lesquels le chef affirme son pouvoir.

Qui sont ces Celtes ?

Depuis quand ce monde de guerriers règne-t-il en Europe ? Nous ne le savons pas exactement et il faut remonter longtemps en arrière pour déceler l'arrivée de ces populations, dites celtes.
Les archéologues constatent ainsi que vers 2500 av. J.-C., dans l'ouest de l'Europe, on enterre désormais les morts dans des vases et non plus dans des tombes ; cela signifie qu'une population nouvelle s'y est installée. Et comme ces sépultures occupent une zone où l'on trouve aujourd'hui de nombreux lieux au nom celte, on en conclut qu'il s'agit des ancêtres des Celtes. C'est au sein de cette zone, en Autriche, vers le IXe siècle av. J.-C., que naît une brillante civilisation, dite d'Hallstatt : ses habitants tirent leur richesse du commerce du sel et de leur maîtrise des métaux. Leur culture gagne bientôt toute l'Europe de l'Ouest. Chaque communauté est alors placée sous l'autorité d'aristocrates guerriers dont la sépulture, sous tumulus, contient une grande épée, un rasoir et parfois un service à boisson. Vers 650 av. J.-C., certains de ces chefs guerriers, enrichis par le commerce, deviennent encore plus puissants : ce sont les fameux " princes ".

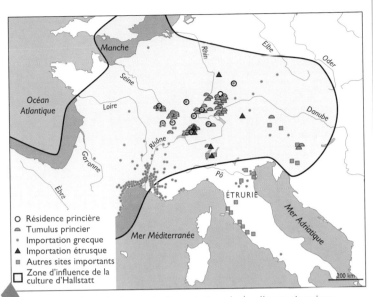

Carte des tumulus princiers et des importations (vaisselle en céramique et en bronze) d'Étrurie et de Grèce.

La fin des principautés

Ce monde princier disparaît soudainement au Ve siècle av. J.-C. pour des raisons inconnues. De nouveaux centres de pouvoir se développent alors sur le Rhin et dans la Marne. Les fameuses sépultures à chars ne disparaissent pas, mais ce sont désormais des chars à deux roues, et les tombes sont infiniment plus nombreuses et moins riches qu'auparavant. Une foule de petits princes prennent au nord la place de quelques grands. Et tous les hommes ou presque sont enterrés en armes. Si le premier Âge du fer a été le temps des princes, le second est celui des guerriers-paysans.

Coupe du tumulus de Vix. La chambre funéraire a été boisée puis recouverte de pierres.

Cultes et croyances celtiques

Pendant longtemps, la religion des Celtes n'a été connue qu'à travers le témoignage, plus ou moins sûr, de Grecs et de Romains. Depuis quelques années, on en sait un peu plus grâce à l'archéologie.

Épée mutilée trouvée dans les fossés de Gournay-sur-Aronde.

Des sanctuaires guerriers

Outre les sites naturels (sources, marais, lacs, sommets de montagne) où ils déposent des offrandes, sans doute à l'occasion de grands rassemblements tribaux, les Celtes aménagent à partir du IVe siècle av. J.-C. des sanctuaires très simples, réservés à des cultes guerriers, comme celui mis au jour à Gournay-sur-Aronde, en Picardie. Au centre d'une aire rectangulaire délimitée par un fossé et une palissade, une petite construction, le *fanum*, abrite une fosse centrale où l'on immole des animaux domestiques qu'on laisse se putréfier jusqu'au sacrifice suivant. Des trophées – panoplies d'armes prises aux ennemis – sont accrochés aux palissades, aux montants de la porte ainsi que sur des mâts. Quand on les renouvelle, ces objets sacrés sont mutilés et déposés avec les restes des animaux sacrifiés dans les fossés de l'enceinte. Avec le temps, des offrandes de monnaies, de céramiques et d'objets miniatures deviennent de plus en plus fréquentes.

Du pareil au même

Celtes, Gaulois ou Galates, ces trois mots d'origine grecque désignent les mêmes populations. C'est ainsi que les historiens grecs baptisent les Barbares venus du Nord, qui organisent des raids jusqu'à Delphes et Rome, au IVe siècle av. J.-C.

Les dieux celtes

Quand le Gaulois Brennus saccage le sanctuaire de Delphes, en 290 av. J.-C., il éclate de rire en voyant que les Grecs donnent à leurs dieux une forme humaine. Cela veut dire que les Celtes ne représentent pas leurs dieux, ou autrement. En effet, on connaît très peu de figurations avant l'époque romaine. À l'époque de la guerre des Gaules, Jules César écrit que les Celtes sont très religieux et il mentionne une douzaine de dieux. L'archéologie montre cependant l'existence de divinités bien plus nombreuses : près de 300 noms ont été répertoriés ! Les principaux sont Esus, dieu forestier, Teutates, dieu-chef de la tribu, Taranis, le maître du ciel et Cernunnos (*ci-dessous*), le maître du bétail et de la faune sauvage. Les Gaulois honorent aussi des déesses-mères dont le culte est associé à des sources, des rivières ou des forêts.

Druides et *vates*

Les druides sont des personnages très honorés, recrutés dès l'enfance parmi les familles nobles. Ils connaissent non seulement toutes les choses de la religion, mais aussi le droit, la philosophie et les sciences. Mathématiciens, ils pratiquent la divination par les nombres, sans doute à l'aide de dés comme ceux-ci. Leur immense savoir se transmet oralement au cours de longues études, vingt ans dit-on ! Tous les ans, les druides gaulois se réunissent dans la forêt des Carnutes (près de Chartres) pour élire un chef. À leur côté, les *vates* prophétisent l'avenir en observant le vol des oiseaux ou des viscères d'animaux. Ils pratiquent aussi les sacrifices.

Le culte des crânes

En Provence, la fouille des sanctuaires celto-ligures (*voir p. 20*) a révélé un culte des têtes coupées. Les portiques de ces temples sont aménagés pour recevoir dans des niches des crânes, ou leur représentation, comme si les Celtes avaient voulu s'approprier ainsi la force des guerriers tués. On a retrouvé également de nombreuses sculptures représentant des têtes coupées. Il s'agit sans doute de héros ou d'ancêtres divinisés auxquels on rend hommage.

Des sacrifices humains

Dans *La Guerre des Gaules*, Jules César évoque, horrifié, des sacrifices humains. Cependant, il faut rappeler que, dans les civilisations anciennes, ce genre de pratique est courante. À la guerre, le vainqueur massacre parfois des prisonniers plutôt que de les vendre, pour remercier les dieux. D'autres sacrifices peuvent également avoir lieu à date fixe, pour lesquels on réserve des condamnés : leur exécution est censée rétablir l'ordre sacré du monde et apaiser les divinités. C'est sans doute le cas des squelettes assis en tailleur, découverts dans les fosses d'un temple villageois d'Acy-Romance, dans les Ardennes.

Le temps des oppida

Au cours des cinquante années précédant la guerre des Gaules, vers 100 av. J.-C., les Celtes érigent de très vastes fortifications, les *oppida*, dont certaines opposeront une vive résistance aux conquérants. Mais ces ouvrages sont-ils purement militaires ?

L'*oppidum* de Bibracte, en Bourgogne, ceinturé par ses remparts.

Des remparts pour être vus

Les remparts qui entourent les *oppida* sont faits de pierres et de poutres de bois, le tout relié par des tiges en fer. Jules César a appelé cette technique imparable le *murus gallicus*. Mais pourquoi ces remparts couvrent-ils plusieurs centaines d'hectares et dévalent-ils les pentes au lieu de suivre un tracé horizontal difficile à attaquer ? Cela les rend vulnérables. Sans parler de leurs larges portes qui ressemblent plus à des arcs de triomphe qu'à des ponts-levis. D'ailleurs ces fortifications ne cherchent pas à passer inaperçues ! Elles occupent des hauteurs ou le fond de larges vallées, à l'époque déboisées. Bref, tout indique que les *oppida* ont un autre but que la défense : ils sont là pour souligner la puissance de la tribu.

Des villes très actives

À l'intérieur, de grandes rues et de plus petites desservent des zones densément loties, tandis que de larges espaces restent à l'état de champs ou de prés. De riches maisons – parfois à la romaine comme à Bibracte, en Bourgogne – y côtoient de plus simples. Dans des quartiers spécialisés, forgerons et bronziers fabriquent et réparent les objets de la vie quotidienne, des armes ou des produits plus recherchés comme de la vaisselle en bronze et de précieuses parures. S'y trouvent aussi des commerçants – certains romains ! – qui importent le sel et le vin que l'on consomme en quantité lors des festins. En sens inverse, blé, troupeaux et esclaves de guerre transitent par ces *oppida* avant d'être exportés.

Principaux peuples et *oppida* gaulois avant la conquête romaine (58 av. J.-C.).

L'une des portes de l'*oppidum* de Bibracte.

Chacun ses sous !

À la fin du IVᵉ siècle, les Celtes fabriquent leurs premières monnaies en copiant des modèles grecs. Ces pièces circulent d'abord peu et remplacent en partie le troc dans les *oppida*. En or ou en argent, puis en bronze, elles valent ce que les autorités décident (un peu comme nos billets de papier). Chaque peuple a la sienne et la décore avec des motifs très stylisés.

Un territoire quadrillé

Ces villes occupent souvent une position centrale sur le territoire d'un peuple et sont relayées à distance par de plus petites. Ces peuples dont on connaît presque tous les noms – Éduens, Carnutes, Sénons, etc. – occupent des régions plus ou moins grandes dont les frontières ne sont pas fixes. Ils établissent des alliances seulement en cas de danger.

Dans les campagnes

Hors des *oppida*, des fermes, composées d'une habitation et d'annexes (greniers, étables, etc.), entourées de nombreux enclos à bétail, sont dispersées ou parfois regroupées en modestes hameaux. Chemins, fossés et palissades canalisent l'errance des animaux domestiques (bœufs, moutons et porcs). Outre l'élevage, on cultive des céréales, mais aussi des pois, des lentilles et des fèves. Dans le Nord, on fait pousser du lin et du chanvre pour l'huile des graines et les fibres des tiges dont on fait des cordes et des tissus. Légumes, fruits et plantes médicinales sont cueillis dans les friches, en lisière de forêt.

Une ferme gauloise. Les bâtiments, entourés d'enclos, sont en torchis et en chaume : l'habitation, la grange, les étables, le grenier sur pilotis, etc.

27

La guerre des Gaules

Pour un Romain ambitieux, faire la guerre est un moyen d'obtenir fortune et gloire, deux conditions nécessaires à toute carrière politique. La Gaule étant une région très riche, il a suffi d'une étincelle pour que le proconsul Jules César se lance à sa conquête.

Le prétexte est fourni en 58 av. J.-C. par les Éduens : ce peuple, allié des Romains, appelle César au secours pour contenir les Helvètes qui menacent de les envahir (*voir carte p. 26*). La Gaule alors n'existe pas. Le territoire que César délimite par ses conquêtes – des Pyrénées à l'Atlantique et au Rhin – est occupé par une soixantaine de peuples. Tous ne sont pas ses ennemis, bien au contraire ! Beaucoup font du commerce avec Rome. Les grands peuples de la Gaule celtique soutiennent même activement l'action des légions pour soumettre les contrées trop indépendantes du Nord et de l'Ouest. Il faudra une accumulation de maladresses de la part des Romains pour provoquer le grand soulèvement de 52 av. J.-C. À cette date, un jeune chef arverne se proclame chef de guerre.

Qui est Vercingétorix ?

Ce jeune aristocrate naît vers 82 av. J.-C. à Gergovia, capitale des Arvernes. Son nom signifie "le très grand roi des guerriers". Son père a été mis à mort par les siens pour avoir tenté de rétablir la royauté. Vercingétorix se fait bannir à son tour par l'aristocratie en raison de son opposition à César. Avec l'aide du peuple, il monte un coup d'État et accède au pouvoir. En combattant les Romains, il viole les traités des Arvernes et change de camp : car au début de la guerre, il commandait très certainement la cavalerie arverne aux côtés des légions romaines...

❷

Il s'appelle Vercingétorix. Après avoir résisté dans sa forteresse de Gergovia et gagné à sa cause la quasi-totalité des peuples gaulois, il se retrouve en difficulté à Alésia. Autour de cet *oppidum* ①, César construit deux lignes de fortifications : l'une en retrait, destinée à stopper d'éventuels secours pour les assiégés ; l'autre à l'intérieur ② pour empêcher les habitants de s'enfuir. Après quelques semaines de siège, les Gaulois doivent se rendre. D'autres batailles suivent en Aquitaine jusqu'en 51 av. J.-C. Mais les Gaulois ne résistent pas aux Romains en terrain découvert. Au total, la conquête aura fait au moins 700 000 morts côté gaulois et plus encore de prisonniers. Emmené à Rome, Vercingétorix est exposé lors du triomphe de César en 46 av. J.-C., puis étranglé dans son cachot.

La Gaule romaine

La guerre de Jules César ne doit pas faire oublier que la conquête de la Gaule avait commencé bien auparavant. Dès 121 av. J.-C., le Midi, une région sillonnée depuis longtemps par les commerçants grecs et romains, est annexé sous le nom de Province transalpine.

Une nouvelle organisation

Après la conquête, César maintient les territoires des anciens peuples gaulois. Un chef-lieu est placé au centre de chaque territoire appelé *civitas*. Là se trouvent l'administration et le conseil de la cité, confiés à des Gaulois fidèles. Pourtant, au nom du principe " diviser pour mieux régner ", toutes les cités ne bénéficient pas du même statut ! La véritable organisation de ce nouveau territoire est mise en place par l'empereur Auguste et le gouverneur Agrippa. L'ancienne Gaule celtique est alors divisée en trois provinces : la Belgique, la Lyonnaise et l'Aquitaine. Lyon en est la capitale et tout le réseau routier converge vers elle. L'armée est rapidement installée dans les régions frontalières les plus instables (*limes*), à l'est.

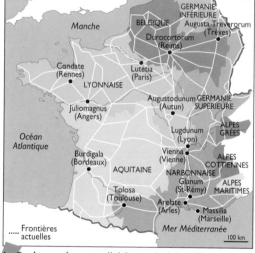

La Gaule romaine : ses divisions administratives, ses principales cités et le réseau routier sous Auguste. La Narbonnaise est l'ancienne Province transalpine.

Rome est à la mode

Les aristocrates adoptent rapidement le mode de vie des conquérants. Dans les assemblées, on écrit et parle en latin. Dans l'alimentation, pain, fritures et plats mijotés – qu'on relève avec épices et sauces importées – inondent les bonnes tables. Certains Gaulois se voient offrir le statut envié de citoyen romain, en récompense de leurs services. Ils ajoutent alors à leur nom celui de l'empereur, en latin. Pour tenir leur rang, ces personnages deviennent édiles : au lieu de s'attacher leurs concitoyens en offrant des banquets comme jadis, ils construisent de somptueux monuments publics. La ville devient le centre de cette nouvelle civilisation.

Guerrier de Vachères, du nom d'un village de Haute-Provence où il a été découvert. Ce Gaulois porte un collier celte autour du cou (torque), mais il a revêtu un uniforme romain et a rasé sa moustache comme les envahisseurs.

Les dieux se romanisent aussi

La religion illustre bien comment s'est faite la romanisation du peuple. Les empereurs Auguste, Tibère et Claude interdisent le druidisme et les sacrifices humains, mais autorisent les Gaulois à honorer leurs dieux. Sans renier leurs mythes, les Gaulois assimilent peu à peu leurs divinités à celles du monde gréco-romain. Mercure, inventeur des arts, protecteur des commerçants et des voyages, est le plus apprécié. Les lieux de culte sont reconstruits à la romaine, comme en témoigne le sanctuaire de la déesse des sources de la Seine, Sequana (*ci-dessous*). Les fidèles continuent à y chercher la guérison et déposent près des eaux guérisseuses des statuettes représentant leur corps malade.

Pèlerin portant un ample manteau gaulois.

La paix romaine est menacée

Pendant longtemps, la Gaule bénéficie de la paix romaine et de la faveur de certains empereurs. Mais, vers 284, une crise secoue l'Empire romain tout entier : des soulèvements ont lieu à l'intérieur de l'armée et les frontières sont menacées. Certains Barbares sont alors tolérés aux limites de l'Empire et montent la garde contre de nouveaux envahisseurs.
À l'intérieur des Gaules, des bandes de pillards, les Bagaudes, sèment le désordre. Deux empereurs énergiques, Dioclétien puis Constantin, rétablissent l'ordre pour un temps.

Reconstitution du sanctuaire des sources de la Seine : le *fanum* (*voir p. 24*) est remplacé par un temple romain.

Un nouveau visage

Avec la romanisation, le paysage de la Gaule change. Le Midi et la partie est du pays, bénéficiant de la présence des soldats venus protéger les frontières, connaissent les plus grands bouleversements.

Statuette de gladiateur trouvée à Arles.

Vue **aérienne** de la cité d'Arles à l'époque gallo-romaine, avec son théâtre ①, son forum ② et son amphithéâtre ③.

Des villes bien ordonnées

Le premier signe marquant de la romanisation est l'émergence de villes, qui regroupent entre 5 000 et 20 000 habitants. La plus grande d'entre elles est Lyon, suivie de Narbonne et de Nîmes. La cité est construite autour de deux grands axes perpendiculaires et comporte en son centre une place, le forum, et des monuments publics. L'eau y est amenée par des aqueducs qui parcourent la campagne, puis distribuée dans des fontaines et dans des thermes où l'on aime se retrouver pour prendre des bains. La majorité des villes n'ont pas de fortifications. Au-delà, c'est le monde des morts : les cimetières sont disposés le long des voies qui mènent au centre.

Des lieux de spectacles

Les Gallo-Romains s'avèrent vite être de grands amateurs de spectacles. Aussi les Romains construisent-ils de nombreux théâtres et amphithéâtres. Dans l'arène ont lieu des combats d'animaux et de gladiateurs. La scène est réservée aux comédies, tragédies, mimes et ballets. Ces spectacles se déroulent à l'occasion des fêtes liées au culte impérial ou pour célébrer un événement de la vie de l'Empire – une victoire militaire par exemple. Ils sont offerts par les habitants les plus riches de la ville qui paient aussi les courses de chars et de chevaux dans les cirques.

Reconstitution du théâtre d'Arles.

Pressoir à huile.
La Provence, romanisée depuis longtemps, a adopté les méthodes romaines.

Des résidences luxueuses

Durant l'Antiquité, la production agricole est la principale source de richesse. Il n'est donc pas étonnant que les grands propriétaires se soient installés sur leurs terres. Leurs résidences s'appellent des villas. Elles se composent d'une demeure, en général richement décorée de peintures, de marbres et de stucs. On y trouve parfois des bains privés et des jardins. Des bâtiments réservés aux activités de la ferme et au logement de la main-d'œuvre, esclaves et travailleurs libres, l'entourent. À côté de ces résidences luxueuses, il existe bien sûr quantité de fermes plus modestes.

Retour à la terre

À leur retraite, les légionnaires romains sont récompensés de leurs bons services en devenant propriétaires d'un bout de terre à cultiver dans les nouvelles colonies. Un arpenteur quadrille le terrain et trace sur le sol des parcelles carrées ou rectangulaires dont on retrouve encore aujourd'hui la trace dans le paysage. Car les nouveaux chemins reprennent souvent les anciens et les haies sont parfois installées au même endroit.

De riches campagnes

Le climat du début de la période gallo-romaine est l'un des plus doux que la Gaule ait connus, même s'il se détériore dans le courant du IIIe siècle. Les terres agricoles gagnent du terrain : de nombreuses forêts sont défrichées et des travaux de drainage permettent d'assécher les zones marécageuses. Les céréales constituent les ressources principales. Pour les récolter, les Gaulois inventent même la moissonneuse. Dans le Midi, la vigne et l'olivier sont des cultures qui rapportent beaucoup. L'élevage est aussi une source de prospérité. On mange d'ailleurs beaucoup plus de viande en Gaule qu'à Rome.

Reconstitution d'une villa gallo-romaine, fouillée dans la Somme : on distingue la demeure du maître ①, la cour-jardin ②, la maison du régisseur ③ et la cour agricole ④ autour de laquelle sont disposés les granges, hangars, étables, etc.

33

Les premiers chrétiens

Quelques années après la mort de Jésus-Christ, le christianisme se propage en Gaule par le biais de marchands originaires d'Orient. Les premiers témoignages apparaissent à Lyon et à Vienne, au IIe siècle de notre ère.

Un accueil plutôt hostile

Le pouvoir romain ne voit pas d'un bon œil les adeptes de cette nouvelle religion. Ils sont considérés comme dangereux car ils défendent avec ardeur leurs croyances et refusent de participer au culte de l'empereur sous prétexte qu'ils ne croient qu'en un seul dieu. Ils condamnent le luxe, les loisirs et le port des armes et critiquent la conduite des Romains envers leurs esclaves. Pour ces raisons, ils sont persécutés, à moins de renier leur foi. Quarante-huit d'entre eux sont torturés et exterminés à Lyon en 177. Parmi ces martyrs, Blandine est la plus célèbre. Son courage est extraordinaire. Les bourreaux la suspendent par les bras et la livrent aux bêtes féroces. Comme ces dernières n'en veulent pas, on l'abandonne, roulée dans un filet, à un taureau sauvage. Enfin, elle est achevée avec un glaive.

Lampe à huile du Ve siècle, ornée d'une croix chrétienne.

L'Église s'organise

Malgré ces persécutions, la diffusion des idées chrétiennes se poursuit et touche surtout les grandes villes de la Gaule. En 313, à Rome, l'empereur Constantin autorise enfin la nouvelle religion et met fin aux persécutions. L'Église chrétienne se développe alors rapidement. Son organisation copie celle de l'administration romaine. Lyon est le premier évêché de la Gaule : c'est là que son représentant le plus important, l'évêque, réside. Il y en aura ensuite dans chaque cité. À partir de la fin du IVe siècle, des croyants se regroupent dans des monastères et adoptent les règles de vie établies dans les déserts d'Égypte et de Syrie. Ces moines privilégient le travail de l'esprit ; ils recopient, par exemple, des manuscrits antiques. D'autres monastères développent plutôt les activités manuelles et agricoles.

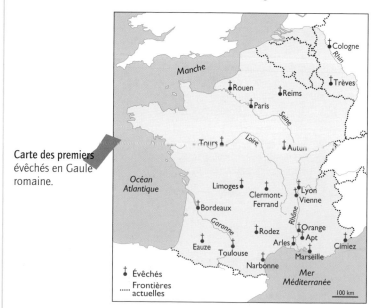

Carte des premiers évêchés en Gaule romaine.

Cologne · Rhin · Manche · Rouen · Trèves · Reims · Paris · Seine · Tours · Loire · Autun · Océan Atlantique · Limoges · Clermont-Ferrand · Lyon Vienne · Bordeaux · Rhône · Garonne · Rodez · Orange · Apt · Arles · Cimiez · Eauze · Toulouse · Marseille · Narbonne · Mer Méditerranée · 100 km

✝ Évêchés
..... Frontières actuelles

Attirer et convertir

Au IVe siècle, l'Empire est devenu chrétien. L'empereur Théodose finit par interdire tous les autres cultes en 392. Les temples de l'ancienne religion gallo-romaine sont peu à peu détruits. Pour convertir les paysans, attachés à leurs vieilles croyances, l'Église invente le culte des saints, présentés comme des intermédiaires entre Dieu et le commun des mortels. Leurs restes (os, cheveux, etc.) sont conservés et très recherchés. Ce sont des reliques dont la présence rassure les simples croyants. Pour cette raison, on cherche à se faire enterrer autour de leur sépulture.

Boucle de ceinture en ivoire de l'évêque saint Césaire (VIe siècle). On y a sculpté le tombeau du Christ, gardé par deux soldats endormis.

Les premières églises

L'archéologie permet aujourd'hui de mieux connaître les premiers édifices chrétiens. Les petites chapelles, les églises paroissiales et les baptistères (lieux où l'on fait les baptêmes) sont construits en grand nombre entre le Ve et le VIIe siècle de notre ère. Si certains monuments ont été bâtis à l'emplacement d'anciens temples gallo-romains, les *fana*, d'autres donneront naissance, à leur tour, aux églises du Moyen Âge.

Scène de baptême : le converti est plongé dans la cuve baptismale.

L'affaire du manteau

Saint Martin, l'un des évêques les plus célèbres de Gaule, fut officier romain avant d'être baptisé. Un jour d'hiver, alors qu'il fait route à cheval près d'Amiens, il croise un mendiant, pauvrement vêtu. N'écoutant que son cœur, il taille en deux sa cape et lui en donne la moitié. Mais pourquoi ne pas la lui donner tout entière ? Parce qu'il n'en a payé qu'une partie. L'autre est fournie par l'armée et il serait accusé de vol s'il s'en défaisait...

Les grandes invasions

Du IVe au VIIe siècle, la partie occidentale de l'Empire romain est submergée par l'arrivée de peuples germains. Ils ont été chassés de leurs terres, entre la Baltique et la mer Noire, par des cavaliers mongols, les Huns.

Comme toutes les populations d'Asie centrale, les Huns sont des cavaliers accomplis, tirant à l'arc et maniant le fouet. Pendant un temps, les Romains les tolèrent parce qu'ils chassent certains de leurs ennemis, tels les Goths. Les Huns ne semblent intéressés que par les razzias et le butin. Mais ils finissent par créer un empire dans la vallée du Danube. Vers 451, sous la conduite d'Attila, ils franchissent le Rhin : toutes les régions situées entre l'est de la Gaule et Orléans sont ravagées par ses troupes. Après d'autres razzias dans le nord de l'Italie, Attila retourne en Hongrie, où il meurt. L'empire des Huns ne survit pas à sa disparition, mais d'autres vagues d'envahisseurs continuent à s'abattre sur l'Occident.

Ces mouvements achèvent de disloquer l'Empire romain, désormais

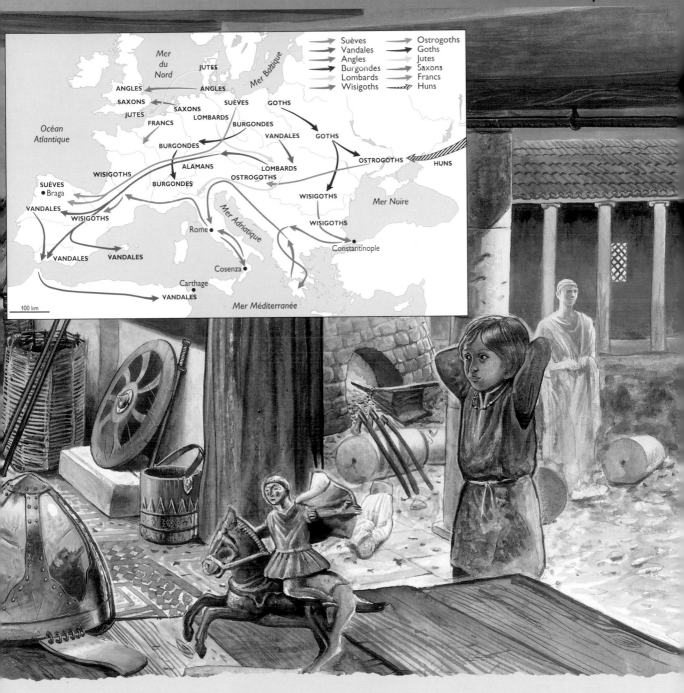

morcelé en de multiples royaumes. Si des peuples, tels les Burgondes et les Wisigoths, réussissent à créer des États relativement stables dans des territoires de l'ancienne Gaule, seuls les Francs s'installent durablement dans le Nord-Est. Ces envahisseurs ne font pas table rase de la civilisation gallo-romaine. Les archéologues retrouvent souvent la trace de leur occupation dans les villas gallo-romaines (*image ci-dessus*). Dans la région de Toulouse, les Wisigoths remettent même en usage les institutions romaines. Au bout de quelques générations, ces nouveaux venus finissent par se mélanger à la population locale. On le sait grâce aux cimetières qui deviennent communs. Les campagnes sont sans doute plus vite transformées que les villes, foyers de culture romaine entretenus par les évêques.

Le Moyen Âge

Comment une société dominée par la puissance des seigneurs et de l'Église s'est-elle mise en place après les invasions ? Et pourquoi le royaume franc, en Île-de-France, s'est-il imposé aux autres ? La réponse est à chercher dans l'histoire de cette période qui dura un millénaire et dont les grandes figures – chevaliers, moines et paysans – nous sont encore très familières. C'est alors que le paysage que nous connaissons, avec ses villages, ses villes et ses chemins, s'est fixé.

Les Mérovingiens

La chute de l'Empire romain d'Occident, en 476, marque la fin du monde antique et le début du Moyen Âge. Les nouveaux venus – Francs au nord, Wisigoths au sud-ouest et Burgondes au sud-est – s'imposent et transforment la Gaule romaine en profondeur.

Du sang neuf

Ces nouvelles populations ont bien souvent été appelées pour venir renforcer l'armée gallo-romaine en raison de leurs talents militaires. Tel est le cas des Francs Saliens, un peuple originaire des basses vallées de l'Elbe et du Rhin, qui s'établit dans le nord de la Gaule, vers 450. Ce sont des cavaliers et des guerriers fortement soudés autour de leurs chefs, descendants d'un roi mythique, Mérovée. Ces rois sont donc appelés les Mérovingiens. Tout comme les Burgondes et les Wisigoths, ces nouveaux arrivants s'installent dans les campagnes, laissant les Gallo-Romains dans les villes. Grâce à l'archéologie, notamment à la fouille de nombreux cimetières, on connaît leur mode de vie car les morts étaient enterrés avec des objets de la vie quotidienne.

Chevalier franc brandissant son épée, peint sur une fresque du début du IXe siècle.

Baptême de Clovis, sculpté en 800 sur une plaque en ivoire servant de reliure.

Clovis, roi des Francs

Parmi les chefs barbares, Clovis, roi des Francs Saliens, jouit d'un prestige supérieur aux autres. Il s'impose petit à petit à tous : en 486, il étend sa domination sur le nord de la Gaule, en battant Syagrius, le chef d'un État gallo-romain qui subsistait dans la région de Soissons. Et surtout, vers 497, il repousse et écrase les Alamans au-delà du Rhin. Il se convertit alors au christianisme – la religion de sa femme Clotilde, une princesse burgonde – et se fait baptiser par Remi, l'évêque de Reims. Grâce à cet acte religieux, mais aussi politique, la monarchie franque peut désormais revendiquer l'héritage de l'ancien Empire romain. Clovis acquiert ainsi l'appui des évêques de Gaule, des Gallo-Romains qui exercent l'autorité religieuse et civile sur la population. En 507, il agrandit encore son royaume par sa victoire sur les Wisigoths, à Vouillé (près de Poitiers).

Boucle de ceinture de la reine Arégonde (570). Les Francs soudent des plaques d'or ou d'argent pour former des cloisons dans lesquelles ils incrustent des pierres semi-précieuses, des verres et des émaux.

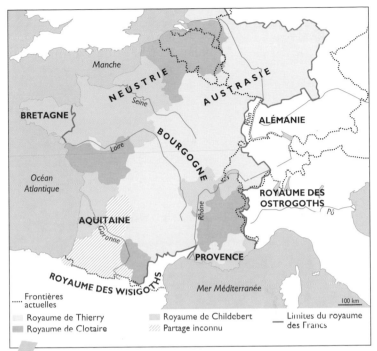

Le partage de la Gaule mérovingienne entre les trois fils de Clovis, en 524, après la mort de leur frère Clodomir. Cette division durera jusqu'en 555.

Le partage du royaume

En 511, à la mort de Clovis, seule la Bourgogne reste à conquérir, ce que font ses héritiers en 534. Cependant, obéissant à la tradition franque, ses quatre fils se partagent le royaume, définissant de nouveaux territoires : Neustrie, Austrasie, Aquitaine et Bourgogne. C'en est fait de l'unité de l'ancienne Gaule romaine… L'histoire de la dynastie mérovingienne sera traversée par de perpétuelles questions de partages et de successions. L'unité rétablie par Clotaire II, en 613, et son fils Dagobert, roi à la forte personnalité, marque l'apogée du royaume franc.

Le déclin des Mérovingiens

Après la mort de Dagobert, en 639, commence une longue période de décadence. Le royaume se fractionne et certaines régions telles que l'Aquitaine, la Provence ou la Bretagne – peuplée par des Bretons depuis le IVe siècle – sont de plus en plus autonomes. Les Mérovingiens perdent leur pouvoir au profit d'une puissante famille d'Austrasie dont les membres, tel Pépin de Herstal, occupent le poste de maire du palais, sorte de Premier ministre qui commande la garde et l'administration. En arrêtant la progression des Arabes à Poitiers, en 732, Charles Martel, le fils de Pépin, devient le personnage le plus important du royaume. Il s'empare de la Bourgogne, de la Provence et de l'Alémanie jusqu'à la Bavière.

La reine Clotilde partageant le royaume de son mari Clovis entre leurs quatre fils, Thierry, Clodomir, Clotaire et Childebert.

Charlemagne et les Carolingiens

En 751, Pépin le Bref, fils de Charles Martel et maire du palais lui-même, est le personnage le plus puissant du royaume franc. Il contraint le dernier Mérovingien à abdiquer et fonde une nouvelle dynastie.

Les Pippinides au pouvoir

Pour légitimer son coup d'État, Pépin le Bref persuade le pape qu'« il vaut mieux appeler roi celui qui a le pouvoir que celui qui en est dépourvu »… En 754, il se fait sacrer roi par le pape Étienne II à Saint-Denis. Il christianise ainsi une ancienne coutume germanique qui faisait du roi le représentant des hommes auprès des dieux. Pour asseoir son pouvoir et rattacher sa lignée à celle des Mérovingiens, Pépin le Bref reçoit sur le front l'huile sainte qu'aurait reçue Clovis lors de son baptême à Reims. Une dynastie et une nouvelle tradition naissent ainsi. En 768, juste avant de mourir, Pépin partage son royaume entre ses deux fils, Charles et Carloman. À la mort de son frère, en 771, Charles s'approprie tout le royaume et règne sous le nom de *Carolus Magnus* : Charles le Grand ou Charlemagne.

Charlemagne, nouvel empereur

Charlemagne, qui est sacré empereur en 800, puis son fils Louis le Pieux régneront soixante-neuf ans (de 771 à 840). Par ses conquêtes, Charlemagne construit un empire qui s'étend du Pays basque jusqu'en Saxe et de la Manche jusqu'à Rome. Mais c'est aussi un rassembleur qui sait édifier un État organisé et puissant, resté au cours des siècles un modèle pour les autres souverains.

Statuette équestre de Charlemagne (IXe siècle). À la manière des empereurs romains, le souverain porte une tunique et parade à cheval.

La "Chanson de Roland"

Roland, neveu de l'empereur Charlemagne, meurt en 778 à Roncevaux, dans les Pyrénées, après avoir sonné du cor en vain pour prévenir son oncle que l'arrière-garde de l'armée impériale était tombée dans une embuscade. Vers 1100, une chanson de geste l'immortalise et en fait le premier héros chrétien : « Roland sent bien que la mort est proche : sa cervelle sort par ses oreilles. Il prie d'abord pour ses pairs que Dieu les appelle à lui, et pour lui-même ensuite à l'ange Gabriel. »

L'administration du royaume

Pour gouverner, Charlemagne se déplace de palais en palais mais il finit par fixer sa capitale à Aix-la-Chapelle, vers 795. Il divise le pays en comtés, gouvernés par les évêques, qu'il choisit avec l'approbation du pape, et par des comtes. Ces derniers sont des aristocrates chargés de faire régner l'ordre en son nom. Ils ne sont pas rémunérés mais on met à leur disposition des domaines sur lesquels ils vivent. Pour contrôler leur action, Charlemagne envoie régulièrement un religieux et un laïc, les *missi dominici*, ou "envoyés du maître", les inspecter. Il ordonne de mettre par écrit les lois, sous forme de petits chapitres, les "capitulaires", et les fait approuver une ou deux fois par an par tous ces hauts personnages. Peu à peu s'instaure un système de relations où des hommes se mettent au service d'autres qui, en échange, leur accordent protection. C'est le début du système vassalique. La réforme de la monnaie contribue également au développement des villes et du commerce : abandonnant l'or, Charlemagne fait frapper des pièces en argent, appelées deniers.

Cette belle plaque en ivoire où l'on voit le roi David composant ses *Psaumes* a été commandée par Charlemagne en 795 pour relier un livre de prières.

Les arts renaissent

Homme de savoir, l'empereur crée des écoles dans les monastères et les cathédrales, où les hommes libres du royaume, peuvent s'instruire. L'art et la culture renaissent. Une nouvelle forme d'écriture, facile et rapide à tracer, la minuscule caroline, est inventée ; elle permet de recopier et de diffuser à nouveau les textes latins, sacrés ou hérités de l'Antiquité.

Le palais d'Aix-la-Chapelle. La grande salle ① où Charlemagne tenait conseil et la chapelle ②, symbole de son pouvoir religieux, étaient reliées par une galerie ③. La résidence impériale ④ se trouvait à l'est et les bâtiments administratifs ⑤ au centre.

L'Église du haut Moyen Âge

À partir du VIIIe siècle, l'Église, bien que dirigée par le pape, est étroitement contrôlée par les rois carolingiens. Charlemagne, soucieux de voir les religieux mener une vie plus stricte et disciplinée, leur impose même une réforme.

Clercs et moines sont les seuls professeurs de l'époque. Les élèves écoutent leur maître assis à même le sol, sur de la paille.

Les clercs, serviteurs de Dieu

Les hommes qui décident de servir Dieu tout en vivant dans le monde (et non isolés comme les moines) s'appellent des clercs. Ils forment le clergé séculier et échappent à la justice de l'empereur. Certains aident les évêques dans leurs tâches administratives et assurent les offices religieux de la cathédrale : ce sont les chanoines. Ils reçoivent de l'évêque un revenu et doivent prier sept heures par jour. D'autres encadrent les fidèles dans les campagnes : ce sont les prêtres, souvent d'origine modeste. Jusqu'au XIe siècle, ils peuvent se marier. C'est sous les Carolingiens que leurs paroisses, d'abord très vastes, finissent par prendre la taille d'un village ou d'un quartier de ville.

Une ville autour de l'évêque

Depuis les invasions, les évêques siègent en ville avec les chanoines à leurs côtés. En 816, la règle d'Aix impose à ces derniers de vivre à l'intérieur d'une clôture. Aussi voit-on apparaître une ville close dans la cité : le quartier cathédral. Outre leurs maisons et les bâtiments communautaires (salle de prière, cloître, réfectoire), on y trouve le logis de l'évêque, un baptistère, la cathédrale et souvent une deuxième église, un lieu de charité où l'on distribue vivres et vêtements aux pauvres, une auberge pour les pèlerins, une école et une bibliothèque. Jusqu'à l'an mil, la règle est assez lâche : les chanoines peuvent dormir dans une chambre individuelle, ont le droit de posséder des biens et de manger de la viande.

Fresque du Xe siècle représentant saint Benoît de Nursie (*à gauche*), abbé du Mont-Cassin.

Procession de moines s'avançant vers l'église abbatiale. Contrairement à ce que laisserait penser la racine grecque du mot (*monos*, qui signifie " seul "), ces religieux vivent toujours en communauté.

Abbayes et moines

D'autres religieux, hommes et femmes, font un choix plus radical et décident de se retirer loin du monde dans des monastères : ce sont les moines. Ils font vœu de pauvreté, de chasteté et d'obéissance et vivent en communauté suivant un règlement. À partir du VIIIe siècle, tous se recommandent de la règle bénédictine, écrite au VIe siècle par saint Benoît de Nursie, abbé du Mont-Cassin, en Italie. Ils partagent leur temps de façon égale entre la prière, le chant, la méditation et le travail manuel – travaux des champs, artisanat ou copie de manuscrits selon les aptitudes de chacun. Dans une Europe ravagée par la guerre, le rôle des moines est essentiel : ils remettent en état des terres incultes et offrent un havre de sûreté aux voyageurs et aux pauvres. Leurs monastères sont des centres de culture. Pendant longtemps, ces religieux seront parmi les rares personnes à savoir écrire et lire couramment, aussi leur confie-t-on l'éducation des jeunes (*voir pp. 80-81*). La forme la plus courante du monastère est l'abbaye, dirigée par un abbé et placée sous la tutelle d'un évêque. Mais là encore, le souverain intervient fréquemment pour désigner l'abbé.

Reconstitution d'un quartier cathédral clos de murs. On y trouve des bâtiments religieux (cathédrale ①, baptistère ② et église ③), mais aussi les maisons des chanoines ④ et des bâtiments administratifs car l'évêque gère le domaine royal, comme le comte.

Les moines irlandais

Les moines irlandais jouent un rôle très important sur le continent avant que la règle bénédictine ne s'impose. Beaucoup viennent évangéliser la Gaule du Nord et de l'Est et séduisent les fidèles par leur foi et leur austérité, bien éloignée des fastes des évêques. Ils apportent un nouveau souffle à l'Église et facilitent les échanges d'idées et de manuscrits entre la Gaule, l'Irlande, l'Angleterre et l'Italie. La légende en a fait des saints et voudrait que plusieurs d'entre eux aient débarqué dans des auges en pierre utilisées comme bateaux…

Un village au temps de Pépin le Bref

Comment vit-on dans les campagnes au VIIIe siècle ? Depuis quelques années, on en sait un peu plus grâce à l'archéologie qui étudie des sites comme Serris-les-Ruelles, un village carolingien situé à Marne-la-Vallée, en Seine-et-Marne.

Ce village, formé au VIIe siècle, a été abandonné peu après l'an mil. Au début de l'époque carolingienne, un ruisseau ①, bordé par des prés, le coupe en deux. Les maisons ②, bien séparées les unes des autres, sont groupées en petites unités. Elles sont habitées par des paysans libres qui travaillent un lot de terre, souvent très petit, tout juste suffisant pour nourrir la famille, et par des esclaves qui travaillent gratuitement les terres du maître du domaine. Ces maisons comportent un coin habitation et une étable. Des greniers à grains sur poteaux ③ sont établis à proximité. Des fosses creusées dans le sol servent aussi de réserve pour conserver les grains puis sont

L'archéologue au travail

Ce village, dont il ne reste aucun vestige apparent, a été entièrement fouillé de 1989 à 1997. Après avoir dégagé la terre du sol actuel, les archéologues ont pu reconstituer la forme et la disposition de toutes les maisons en étudiant l'empreinte des trous des poteaux qui soutenaient ces constructions.

transformées en dépotoirs. Chaque maison possède un jardin et quelquefois un pré. Les fours pour la cuisson des aliments sont aménagés à part et creusés dans la terre ; ils paraissent servir à plusieurs habitations. Le maître du domaine réside dans un ensemble complexe, organisé autour d'une cour centrale ④. Sa demeure est une grande maison en pierre ⑤, éclairée par des fenêtres munies de petits carreaux en verre. Les bâtiments agricoles ⑥ (étables, écuries, granges, etc.) se répartissent autour de la cour. Le lieu de culte est bordé par un double fossé et entouré par le cimetière. On y trouve une chapelle ⑦, destinée au maître du domaine, et un autre édifice ⑧, préfigurant l'église de village.

Des Carolingiens aux Capétiens

L'unité de l'Empire ne survit pas longtemps à Charlemagne. Dès 840, ses petits-fils se disputent l'héritage. Divisé en trois États au partage de Verdun, l'Empire ne résiste pas aux raids vikings.

Le morcellement de l'Empire

En 840, à la mort de Louis le Pieux, l'aîné de ses fils, Lothaire, écarte ses deux frères, Louis le Germanique et Charles le Chauve, et se déclare seul maître de l'Empire. Ceux-ci s'allient et lui imposent le partage de Verdun. La partie ouest, la Francie occidentale, revient à Charles le Chauve, le dernier grand roi carolingien. Sa mort, en 877, et la difficile succession de ses frères mettent fin aux rêves de réunification. De plus, en autorisant juste avant de mourir, à l'assemblée de Quierzy, que le fils d'un comte puisse succéder à son père, Charles affaiblit le pouvoir de ses successeurs : les comtes, nommés par le roi, pouvaient jusqu'ici être révoqués à tout moment. Désormais, leur charge est héréditaire. En outre, ces puissants personnages sont autorisés à diriger plusieurs comtés, ce qui favorise la constitution de principautés, comme les duchés, qui s'avéreront de plus en plus menaçantes pour le roi.

Au milieu du Xe siècle, Othon Ier le Grand procéda à la réunification de la Lotharingie et de la Francie orientale pour former le Saint-Empire romain germanique. Cependant, malgré cette volonté d'unification, le pouvoir royal y est aussi morcelé qu'en Francie occidentale.

Partage de l'Empire carolingien au traité de Verdun, en 843.

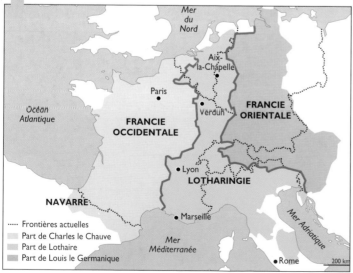

Mer du Nord

Aix-la-Chapelle

Paris

Océan Atlantique

FRANCIE ORIENTALE

Verdun

FRANCIE OCCIDENTALE

Lyon

LOTHARINGIE

NAVARRE

Marseille

Mer Adriatique

Mer Méditerranée

Rome

200 km

····· Frontières actuelles
Part de Charles le Chauve
Part de Lothaire
Part de Louis le Germanique

Faible mais au-dessus de tous

Si le domaine des premiers Capétiens nous paraît petit et bien disparate – pour aller de Senlis à Paris, à Mantes ou à Orléans, où il réside souvent, Hugues Capet est obligé de traverser les terres de seigneurs vassaux –, son prestige est pourtant bien supérieur à celui des princes les plus puissants de son royaume. Il incarne la paix et la justice et c'est vers lui qu'on se tourne en dernier recours. Une fois sacré roi, il peut par ses prières attirer la bénédiction de Dieu et garantir la prospérité au peuple.

Les comtes de Paris s'affirment

Divisé, l'empire carolingien est bientôt attaqué de toutes parts : au nord par les Vikings (*voir pp. 50-51*), au sud par les Sarrasins musulmans venus d'Afrique du Nord, et à l'est par les cavaliers hongrois. Affaiblis, les Carolingiens sont incapables de faire face à ces dangers. Les comtes prennent donc l'habitude de se défendre seuls et imposent leur pouvoir aux paysans. Lorsque les Normands fondent sur Paris pour la deuxième fois, en 885, c'est l'action valeureuse du comte de Paris, Eudes, qui permet de les repousser. Il monte même sur le trône une dizaine d'années, nommé par ses pairs qui, à la mort de l'empereur Charles le Gros, en 888, refusent l'autorité de son frère cadet, Charles III le Simple. Après dix ans de guerres, un accord est conclu entre les deux adversaires : Charles III le Simple retrouve un trône avec une autorité limitée au territoire situé entre la Seine et la Meuse. S'il réunifie la Francie occidentale à la mort de son rival, Eudes, ses successeurs seront cependant de plus en plus contraints de coopérer avec les comtes de Paris, voire de leur céder temporairement le pouvoir.

L'élection d'Hugues Capet

Le 22 mai 987, le dernier Carolingien, Louis V, meurt dans un accident de chasse en forêt de Senlis. Pour écarter le reste de la famille, trop proche de l'empereur germanique Othon III, les grands du royaume élisent le descendant d'Eudes, Hugues Capet. Le 3 juillet 987, dans la vieille cathédrale de Noyon, ce dernier devient roi des Francs sous le nom de Hugues Ier. Il est sacré par l'évêque de Reims, Adalbéron, selon un rituel germanique inauguré par Pépin le Bref en 751 (*voir pp. 42-43*).

Sacre de Hugues Capet. L'évêque renverse l'huile sainte sur le front du roi, déjà couronné.

Le roi et les comtes reçoivent l'hommage de leurs vassaux dans une grande salle, l'*aula*. Ce bâtiment sert de pièce de vie : le seigneur y prend ses repas, y rend la justice et y tient conseil.

De nouveaux envahisseurs, les Vikings

À partir de 840, les Vikings multiplient les raids qui, par leur soudaineté et leur efficacité, déstabilisent le pouvoir carolingien. Les Francs ne savent pas résister à ces incursions fluviales surprises.

Des hommes du Nord

Ces Vikings, ou Normands – *Nor(d)menn* signifie "hommes du Nord" –, arrivent en petites bandes du Danemark, de la Suède et de la Norvège actuels. Ce sont probablement des cadets de familles aristocratiques, poussés par l'esprit d'aventure, le désir de conquérir des terres moins hostiles que les leurs et la soif de l'or. Leur supériorité militaire est étonnante, car ils sont peu nombreux et ont les mêmes armements que les Francs. Mais leur atout est de se déplacer dans des bateaux légers, les plus rapides de l'époque. En mer, ils naviguent avec une voile unique mais, pour remonter les rivières, les guerriers (de 40 à 100 par bateau) n'hésitent pas à ramer. Organisés pour répondre aux attaques terrestres, les Francs sont démunis face à ce nouveau danger.

Des proues pour faire peur

Les bateaux vikings, le *drekar*, possèdent une proue amovible, ornée d'une tête de dragon pour effrayer l'ennemi. Ces monstres frappent les Francs qui les mentionnent dans leurs écrits. De telles créatures protègent également les morts. En Norvège, à Oslo, on peut admirer le mobilier de la tombe d'un chef viking enterré dans son bateau : des traîneaux sont sculptés des mêmes êtres fantastiques.

Stèle viking du Xe siècle, érigée dans l'île de Gotland, au sud de la Suède. On distingue des scènes de bataille et des navires équipés d'une grande voile.

À l'origine de la Normandie

Les Vikings finissent par s'installer dans différents pays. En Europe de l'Est, ils fondent la principauté de Kiev, ancêtre de la Russie ; ils se fixent en Écosse et en Irlande où ils fondent Dublin. En Gaule, ils colonisent la basse vallée de la Seine, en Neustrie (*voir carte p. 41*). Par le traité de Saint-Clair-sur-Epte, en 911, le roi Charles le Simple reconnaît au roi danois Rollon le droit de s'installer dans les comtés de Rouen, Lisieux et Bayeux : la Normandie est née.

Sur les traces des Vikings

En Normandie et dans le nord de la France, certains noms de lieux ont une origine viking. Les Normands parlaient des dialectes germaniques dont dérivent les langues scandinaves, mais aussi anglaises, allemandes et néerlandaises. Dans Dieppe on retrouve ainsi le mot germanique *tief* (profond). Elbeuf vient de *vollr* (talus gazonné) et de *budh* (résidence temporaire). Harfleur est composé de *har* (haut) et de *flet* ou *fljot* (étendue plate).

Des raids dévastateurs

Les Normands remontent ainsi tous les cours d'eau qui se jettent dans la Manche, l'Atlantique ou la mer du Nord : la Seine, la Loire, la Garonne, mais aussi l'Escaut, la Somme, la Canche, la Vilaine, la Charente. Ces raids courts et répétés créent l'insécurité. Le roi demande à chaque comte de défendre son territoire et de construire des forteresses, mais seuls quelques-uns parviennent à arrêter les envahisseurs. Les Normands sont ainsi bloqués par les ponts, comme à Paris par le Pont-au-Change, construit à cet effet. Leurs attaques sont soudaines et ils repartent en emportant du butin (femmes, enfants, troupeaux, récoltes) et en incendiant les villages. Des abbayes sont pillées : Jumièges et Saint-Wandrille près de Rouen, Landévennec en Bretagne. On assiste aussi, à Nantes par exemple, au massacre de l'évêque et à l'incendie de la cathédrale. Paris est attaqué quatre fois, et dans le même temps la riche abbaye de Saint-Denis est pillée.

Corne à boire viking du début du XIIe siècle. On retrouve les dragons des proues de navire.

La vallée de la Seine a tout pour attirer les Vikings : de riches abbayes regorgeant de biens précieux et prêtes à verser de fortes rançons pour sauver bâtiments et captifs ; une ville importante, Rouen, où circulent beaucoup de monnaies. De plus, c'est une route directe pour gagner les régions intérieures du royaume.

La société féodale

Deux siècles d'insécurité ont bouleversé la société en profondeur. Vers l'an mil, les évêques décrivent trois groupes sociaux, très fermés : ceux qui prient (en latin, les *oratores*), ceux qui font la guerre (les *milites*) et ceux qui travaillent la terre (les *laboratores)*.

Les "laboratores", paysans libres ou serfs

La paysannerie, jusqu'ici partagée entre esclaves et paysans libres, change profondément. Pour échapper aux obligations de plus en plus nombreuses auxquelles ils sont soumis – combattre pour le roi (l'ost), payer l'impôt, accomplir diverses corvées –, les hommes libres préfèrent renoncer à leur liberté et se mettre au service d'un puissant. Ils deviennent des serfs (du latin *servus* : serviteur). Désormais tous ces paysans, appelés "rustres", subissent l'autorité du seigneur et la violence des chevaliers qui ravagent les cultures en se faisant la guerre, le plus souvent aux beaux jours, au moment de la moisson…

Enluminure du XIe siècle, représentant un moine, Baudémont, en train d'écrire.

Les "oratores", le clergé

Jusque vers l'an mil, le clergé est directement placé sous la domination des comtes, des ducs et du roi. Mais le pape Grégoire le Grand, en 1073, réforme l'Église et affirme son autonomie. Les évêques dépendent désormais du pape et les monastères ne sont soumis à aucun contrôle extérieur. De plus, depuis le IXe siècle, les paysans doivent verser un dixième de leur récolte au clergé. Cet impôt, la dîme, est d'ailleurs souvent détourné par les seigneurs… Enfin, les prêtres n'ont plus le droit de se marier afin qu'ils se consacrent pleinement à leur mission religieuse.

Paysan en train d'affûter sa faux. L'étui qu'il porte à la ceinture sert à mettre sa pierre à aiguiser.

Moines-bûcherons.

Les "milites", nobles et chevaliers

Depuis qu'ils peuvent succéder à leur père, les comtes ne sont plus des représentants de l'État, mais des princes. La puissance de ces grands seigneurs est immense. Leur pouvoir les place au-dessus des autres : ils sont "suzerains". Et tous se font la guerre ! Chacun a sous sa protection des vassaux, petits seigneurs auxquels il concède des terres – appelées "fief", d'où le nom de féodalité –, en échange de leur soutien en temps de guerre et de leur fidélité. Petits ou grands, ces châtelains, aussi appelés "nobles", entretiennent une garnison composée de quelques cavaliers, les "chevaliers", pour assurer l'ordre et la défense des territoires qu'ils contrôlent. En échange de cette protection, ils taxent les paysans, prélèvent une partie de leur récolte, leur imposent des corvées pour réparer leur château. Les guerriers sont quant à eux les compagnons du seigneur, non ses sujets. Ils possèdent leur cheval et leurs armes et reçoivent une solde. Tous partagent une même passion : la guerre. Une cérémonie d'initiation, l'adoubement, les fait reconnaître par leurs pairs.

Émail de 1150-1160 où figure Geoffroy V Le Bel, comte d'Anjou et du Maine, fondateur de la dynastie des Plantagenêts.

La "Paix de Dieu"

En ces temps où la société est ravagée par les guerres privées, l'Église joue un rôle capital. Elle dresse un rempart contre la violence des chevaliers. Peu à peu, elle s'efforce de leur imposer des règles morales, comme en témoigne ce texte écrit par l'évêque de Beauvais vers 1023-1025 : « Je n'envahirai une église d'aucune façon ; en raison de sa sauveté, je n'envahirai pas non plus les celliers qui sont dans l'enclos d'une église. Je n'attaquerai pas le clerc ou le moine ; je ne pillerai pas, ne dépouillerai pas, ne capturerai pas le paysan, ni le marchand, ni le pèlerin, ni la femme noble, ni aucun être désarmé. » La guerre est interdite du mercredi soir au lundi matin et pendant les grandes fêtes, ainsi que durant le Carême et l'Avent.

Chevalier croisé français.
Un chevalier, c'est d'abord un guerrier qui combat à cheval avec sa lance et son épée, par opposition aux "gens de pied". Coiffé d'un heaume, il est protégé par une cotte de mailles, le haubert, puis par une cuirasse plate.

Une trouvaille, les croisades !

Depuis des siècles, le pèlerinage à Jérusalem sur les Lieux saints se faisait en bonne entente avec les Arabes de Palestine. Pourtant, en 1095, le pape Urbain II propose de monter une expédition militaire en Terre sainte. C'est une façon fort intelligente de canaliser la violence des chevaliers vers un idéal commun. Désormais, les seuls combats autorisés sont ceux dirigés contre les ennemis de Dieu...

La seigneurie rurale

Chaque seigneur exerce son autorité sur un petit terroir, la seigneurie rurale. À partir du milieu du XIe siècle, un meilleur outillage et une augmentation de la population permettent de défricher de nouvelles terres. La vie est moins rude et les relations du châtelain avec les paysans évoluent. Les corvées traditionnelles sont de plus en plus remplacées par des redevances en argent.

Le village, dominé par le château seigneurial ①, est désormais groupé autour de l'église paroissiale ② et de son cimetière. Devant l'église, sur la place, se tiennent le marché et deux ou trois foires annuelles. Les maisons des paysans ③ se prolongent par une étable et une écurie et donnent à l'arrière sur un petit jardin potager clos, le courtil ④, puis sur le pré ⑤. Les puits ⑥ sont le plus souvent collectifs. Les équipements, chers à entretenir, sont la propriété du seigneur qui lève une taxe pour leur usage : c'est le droit seigneurial.

Il s'agit notamment de l'étang où l'on pêche, du moulin à aubes ⑦ ou du moulin à vent qui se multiplient à cette époque. La seigneurie est divisée en deux parties. Le domaine proche ⑧, autour du château, est réservé aux besoins du seigneur et cultivé par sa domesticité. Le reste

est la censive, cédée par parcelles, ou tenures, à des paysans contre le paiement d'un impôt appelé "cens". Pour éviter l'appauvrissement des terres, on alterne chaque année les cultures sur une même parcelle : céréales semées au printemps (orge, avoine) ou en automne (froment,

seigle), légumineuses et mise au repos la troisième année. Au XIIᵉ siècle, des zones incultes ⑨ subsistent, c'est là que les troupeaux, de moutons surtout, vont paître. La forêt ⑩ fournit le bois et les glands. De plus en plus de chemins ⑪ parcourent

la campagne. Ils n'épousent plus étroitement le tracé des anciennes voies romaines et relient les châteaux, les abbayes et les nouvelles agglomérations. Les ponts ⑫, en bois puis en pierre, sont contrôlés par les seigneurs qui font payer un droit de péage.

Le monde roman

À la fin du Xe siècle, l'Europe se couvre d'un "blanc manteau d'églises". Le retour de la prospérité et un formidable élan religieux expliquent ce phénomène.

Statue-reliquaire de sainte Foy, conservée dans l'église de l'abbaye de Conques. Un moine n'hésita pas à la voler dans une église d'Agen pour que son abbaye bénéficie de l'afflux des pèlerins !

Les églises font peau neuve

Aux alentours de l'an mil, on se met à édifier des églises et des monastères dans tout le pays et à reconstruire les cathédrales carolingiennes, trop petites. On cherche à retrouver les lignes simples des premières basiliques, plus ouvertes au peuple. Ces premières églises romanes ne sont pas voûtées, mais couvertes d'un plafond en bois. Le plus souvent, elles se terminent à l'est par un simple chœur en demi-cercle : les fidèles ne peuvent pas tourner autour en procession. Sous le chœur, une crypte abrite parfois les reliques d'un saint (*voir p. 35*). Quelques décennies plus tard, l'architecture devient plus complexe. Le chœur est désormais entouré par un couloir, le déambulatoire, et l'édifice est entièrement voûté en pierre. Ces voûtes offrent une meilleure acoustique pour le chant grégorien.

L'abbatiale bénédictine de Cluny, la plus grande église de la chrétienté jusqu'au XVIe siècle. La scène montre le pape Urbain II la bénissant en 1095.

Pèlerinages et culte des reliques

Certaines de ces églises, élevées sur le tombeau d'un saint, sont des lieux de pèlerinage très fréquentés : Saint-Martin à Tours, Saint-Sernin à Toulouse, Sainte-Foy à Conques et surtout Saint-Jacques-de-Compostelle, au nord-ouest de l'Espagne. Les fidèles viennent se recueillir sur les reliques qu'elles abritent : quelques ossements ou un objet placés dans un reliquaire. Ils parcourent pour cela des centaines de kilomètres au péril de leur vie.

Blanc ou noir ?

Bénédictins et Cisterciens s'opposent jusqu'à travers la teinte de leur habit. Ce n'est pas un hasard si celui des Bénédictins, pour qui rien n'est trop beau, est noir, la couleur la plus difficile à obtenir, donc la plus coûteuse. Les Cisterciens adoptent une robe écrue, car c'est la couleur brute de tissage, dénuée de toute teinture.

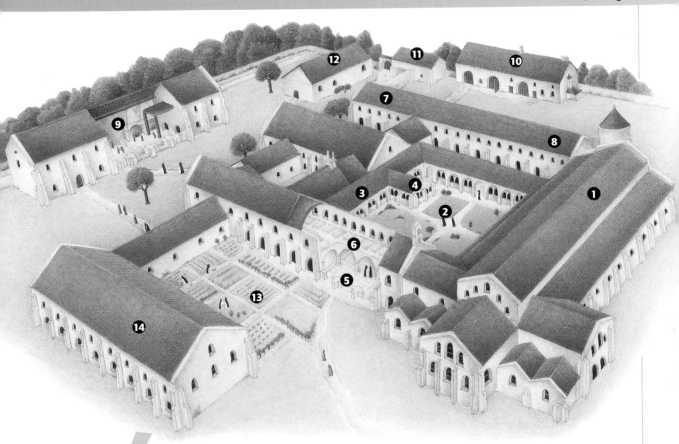

Le plan des abbayes cisterciennes (ici Fontenay) est toujours identique, adapté à la vie d'une communauté qui partage son temps entre la prière, les travaux de l'esprit et une production agricole et industrielle : l'église ①, le cloître ②, le réfectoire ③, le lavabo pour se laver les mains ④, le bâtiment des moines ⑤, avec au rez-de-chaussée, la sacristie, la salle capitulaire (de réunion) et la salle de travail, et à l'étage, le grand dortoir ⑥ ; le bâtiment des convers, chargés des travaux domestiques ⑦, le cellier ⑧, la forge ⑨, la boulangerie et la chapelle des étrangers ⑩, la porterie gardée par un moine ⑪, l'hôtellerie ⑫, le jardin des plantes médicinales ⑬ et l'infirmerie ⑭.

La splendeur des Bénédictins

Aux XIᵉ et XIIᵉ siècles, l'abbaye bénédictine de Cluny, en Bourgogne, incarne plus que toute autre la puissance de cette nouvelle Église, libérée de la tutelle des seigneurs. Grâce à des abbés d'une grande énergie, elle fonde dans toute l'Europe plus de mille monastères. On y suit la règle de saint Benoît (*voir p. 45*), aménagée pour que les moines consacrent tout leur temps à la prière. Rien n'est trop beau pour célébrer la grandeur de Dieu : les églises sont ornées de sculptures et de fresques, et des chants à plusieurs voix accompagnent de somptueuses cérémonies.

Fresque de la chapelle du prieuré clunisien de Berzé-la-Ville.

L'austérité cistercienne

En réaction à cette magnificence, Robert de Molesme fonde dans la même région, en 1098, l'ordre de Cîteaux. Ce nouvel ordre suit la règle de saint Benoît d'une manière très stricte. Les moines s'installent dans des endroits retirés et mettent en valeur les terres au prix d'énormes travaux. L'église n'a ni clocher, ni sculptures, ni fresques. Le style roman y est très épuré, tout comme les offices et le chant, car « la pierre est utile pour la structure de l'édifice, mais à quoi sert de la sculpter ? On doit lire la Genèse dans la Bible et non sur un mur ».

Philippe II Auguste

De 1060 à 1136, le premier objectif des rois capétiens est de pacifier leur domaine, l'Île-de-France, et de soumettre les petits seigneurs qui défient leur autorité. Louis VII le Jeune (1137-1180) est encore plus ambitieux : grâce à son mariage avec Aliénor d'Aquitaine, il met la main sur les duchés d'Aquitaine et de Gascogne et le comté de Poitiers.

Roi rendant un arrêt. Le souverain est de plus en plus sollicité pour trancher les conflits entre seigneurs ou confirmer de nouveaux droits accordés aux bourgeois.

La menace des Plantagenêts

Mais en 1152, il divorce… et perd cet immense domaine. Aliénor épouse six semaines plus tard Henri Plantagenêt, comte de Blois et duc de Normandie, qui devient roi d'Angleterre en 1154 et se rend maître de la Bretagne en 1166. Les Plantagenêts dominent donc les deux tiers de la France et deviennent une menace pour les Capétiens. En 1179, Louis VII, sentant sa fin approcher, fait sacrer son fils Philippe à Saint-Denis. Lorsqu'il meurt, l'année suivante, Philippe II, dit "Auguste", n'a que quinze ans. Plusieurs princes territoriaux entendent le mettre sous tutelle. Mais, en grand stratège, il élimine tous ses adversaires, s'appuyant sur ses proches et la petite noblesse dévouée. Il va démanteler le domaine des Plantagenêts et faire de la France la première puissance en Europe.

Un grand bâtisseur

À cette époque, le roi est déjà le plus riche seigneur du royaume, qu'on commence à appeler la France : il retire des revenus confortables de son domaine prospère et touche aussi des taxes en tant que suzerain. Il a désormais les moyens de lever une armée de 3 000 hommes et de salarier des fonctionnaires, les baillis, pour contrôler ses territoires et rendre la justice. Autour de Paris, promue au rang de capitale, Philippe II fait construire une enceinte et édifie le Louvre pour abriter son trésor et ses prisonniers. Il finance aussi la construction des cathédrales gothiques de Paris et de Chartres (*voir pp. 62-63*).

Le Louvre, avec son plan carré cantonné de fortes tours rondes et son puissant donjon cylindrique, révolutionne l'architecture militaire.

Des pavés contre les mauvaises odeurs !

Un moine de Saint-Denis, Rigord, nous apprend qu'après avoir doté sa capitale de solides murailles, et alors que le chantier de Notre-Dame fourmillait de monde, le roi se mit un jour à une fenêtre de son palais de la Cité. Il fut très incommodé par le passage d'une charrette, embourbée dans la rue, qui dégageait une odeur horrible. Il prit alors la décision de faire paver les deux rues principales de Paris.

Philippe II s'attaque au domaine angevin

Hormis une courte parenthèse durant la troisième croisade, en1190, que mènent ensemble Philippe II et le nouveau roi d'Angleterre, Richard Cœur de Lion, les deux souverains s'opposent inévitablement. À la bataille de Fréteval (1194), le Français perd… toutes ses archives ! Il décide alors de fixer son administration au Palais-en-la-Cité, à Paris. Richard, profitant de son avantage, construit la puissante forteresse de Château-Gaillard sur la Seine, mais il est tué près de Limoges en 1199. Son frère Jean sans Terre lui succède. Et la chance tourne en faveur du Capétien. La prise de Château-Gaillard, le 6 mars 1204, lui ouvre les portes de la Normandie qu'il annexe en juin. Les princes d'Anjou et de Touraine se rallient alors à lui.

Le domaine royal en 1180 (*gauche*) et à la mort de Louis VIII, en 1226 (*droite*).

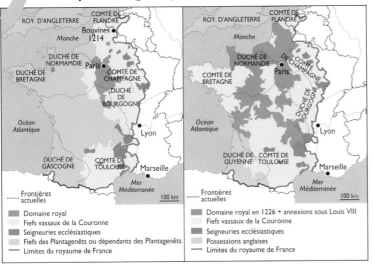

Les villes pour alliées

Favorable à l'émancipation des villes, Philippe II leur accorde des chartes communales (*voir p. 61*). Les artisans et la bourgeoisie des villes deviennent ainsi ses plus sûrs alliés, formant un contre-pouvoir aux grands princes territoriaux. Dans le même temps, de nouveaux comtés sont soumis. Cette politique habile vaut au roi l'éclatant succès de Bouvines (27 juillet 1214) où, avec l'aide des milices bourgeoises, il écrase l'empereur germanique Othon IV qui s'est allié aux Anglais et aux vassaux rebelles de Flandres. Parallèlement, pour attacher à sa personne les ducs, comtes et autres seigneurs, Philippe II leur propose un office dans son palais, c'est-à-dire une charge rémunérée. Le chancelier rédige des actes, le sénéchal commande les services domestiques et l'armée, le bouteiller s'occupe de la cave, le chambrier garde le trésor. Tous recherchent désormais ces places comme un honneur. Philippe II meurt le 14 juillet 1223. Son fils Louis VIII, surnommé le Lion, va continuer son œuvre.

Les villes renaissent

Au début du XIIᵉ siècle, les villes, jusqu'ici assez peu développées, connaissent un formidable essor. Des marchands s'y établissent, ainsi que des serfs que les grands domaines ne suffisent plus à nourrir.

Les vieilles cités s'agrandissent

Ces nouveaux habitants s'installent dans les bourgs qui surgissent près des villes anciennes. On se groupe par voisinage, autour d'une chapelle, ou par métiers : les bords de rivière pour les teinturiers et les cordonniers, les alentours du marché pour les bouchers et les boulangers. Les maisons, de plus en plus serrées, sont en torchis (terre mélangée à de la paille), d'où de fréquents incendies. On trouve peu d'édifices imposants, en dehors des églises et de quelques tours de pierre, demeures de puissants personnages. Peuplés d'artisans et de marchands, ces faubourgs deviennent des centres de fabrication et d'échange : les draps du nord-ouest de la France s'exportent ainsi sur tous les marchés de la Méditerranée.

Une marque de fabrique

Les villes nouvelles des XIIᵉ et XIIIᵉ siècles portent souvent le nom de "Villeneuve", quelquefois suivi du nom de la région ou de la rivière pour se distinguer des autres. Les "Villefranche", tout aussi nombreuses, sont des villes nouvelles dont les habitants ne paient pas de taxes. Les cités créées par les ordres des Templiers et des Hospitaliers s'appellent "Villedieu".

La grande place d'une bastide, bordée de maisons à arcades sous lesquelles marchands et clients s'abritent de la pluie et du soleil.

Des villes nouvelles

Quelquefois, des villes nouvelles sont créées de toutes pièces, le plus souvent par les comtes autour de leur château. Ainsi, le duc de Normandie, Guillaume le Bâtard, fonde la ville de Caen, vers 1060, dans la plaine de l'Orne, au pied de son château neuf. Pour peupler les zones encore vides de leur domaine, d'autres seigneurs, surtout dans le Midi, attirent les paysans en leur cédant une maison et la jouissance d'un terrain. Ils construisent d'un seul jet des villes modestes, les bastides, au plan régulier, avec une place centrale pour le marché et des rues symétriques.

La bastide de Monpazier vue du ciel. Elle fut créée en 1284 par le roi d'Angleterre Édouard Ier pour affermir son emprise sur ses terres. C'est le modèle type de la bastide du Sud-Ouest.

Campagne et villes

Le développement des villes ne se fait pas aux dépens de la campagne, bien au contraire, car plus les cités grandissent, plus le paysan est incité à produire pour ravitailler leurs habitants et alimenter leurs industries en fagots, laines, cuirs et peaux. La ville devient ainsi au XIIIe siècle le débouché naturel du travail des ruraux.

Le mouvement communal

Ces populations nouvelles, aux origines variées, s'efforcent d'obtenir un statut propre qui leur permet d'exercer leur activité dans de bonnes conditions. Ceux qui commencent à s'enrichir grâce au commerce et à l'industrie naissante, les bourgeois, ne supportent plus la tutelle du clergé ou du comte et souhaitent une plus grande autonomie. Ils se révoltent ou tentent d'acheter leur liberté. Entre 1112 et 1128, plusieurs villes reçoivent ainsi l'autorisation de constituer une commune : Noyon, Laon, Amiens. Les bourgeois élisent leurs représentants, les échevins, et forment les premières municipalités.

L'apparition des foires

Conscient de l'emplacement stratégique de son territoire, le comte de Champagne accorde, en 1125, l'autorisation d'organiser six foires par an à quatre villes : Provins, Troyes, Lagny, Bar-sur-Aube. Les foires de Champagne deviennent vite le lieu principal de vente des tissus et lainages d'Angleterre ou de Flandre et de divers produits venant d'Orient, apportés par les Génois ou les Vénitiens. Ce commerce assure la richesse des villes qui sont bientôt imitées par d'autres cités.

L'industrie textile fait la richesse des villes du Nord. Ici, deux femmes travaillent du lin ou du chanvre.

Le rayonnement du gothique

Au milieu du XIIᵉ siècle, la population urbaine se trouve à l'étroit dans les églises et cathédrales romanes. On a besoin d'édifices plus grands, plus clairs et mieux adaptés aux processions des fidèles.

2- Le style français

La vieille cathédrale de Chartres ayant brûlé en 1194, on entreprend de la reconstruire. Le nouvel édifice est plus haut et plus élégant que tous les autres. À sa suite, les cathédrales de Reims en 1211, Amiens en 1220 et Beauvais en 1225 sont mises en chantier. Ce style, appelé "français" car il a vu le jour en Île-de-France, sera adopté un peu partout en France et dans le Saint-Empire romain germanique.

1- Le premier gothique

L'abbé Suger est le premier à entreprendre de grands travaux dans l'abbatiale de Saint-Denis. En 1144, il fait construire un nouveau chœur qui révolutionne l'architecture : un double couloir, le déambulatoire ①, permet aux processions de tourner largement autour du chœur, tout en desservant sept chapelles ② consacrées chacune à un saint. La basilique des rois de France, ainsi renouvelée de manière spectaculaire, est aussitôt imitée à Sens et à Noyon en 1150, puis à Laon et à Paris en 1163 (ci-contre, Notre-Dame de Paris).

3- La clef du succès

Le génie des architectes est d'avoir trouvé comment alléger le poids de la voûte en pierre. Grâce à l'invention de la voûte croisée ③, ils réussissent à canaliser ses poussées sur les colonnes, qui elles-mêmes s'appuient sur des contreforts extérieurs et des arcs-boutants ④. Ils peuvent ainsi augmenter la hauteur de l'église et percer de grandes baies vitrées ⑤.

4- Sous la protection de Notre-Dame

Si quelques cathédrales sont dédiées à saint Étienne (Sens, Bourges, Meaux, Châlons-sur-Marne, Beauvais), la plupart sont placées sous la protection de la Vierge, appelée Notre-Dame : Laon, Paris (*portail du Couronnement de la Vierge ci-contre*), Rouen, Chartres, Amiens et Reims. Car le culte de Marie, mère de Jésus, prend alors énormément d'importance. Les fidèles voient en elle la mère de tous et la Sainte Famille sert de modèle à une nouvelle conception de la famille. Le père, la mère et les enfants forment désormais la cellule familiale de base, la famille élargie – qui regroupe plusieurs générations et tout le cousinage – perdant de son importance.

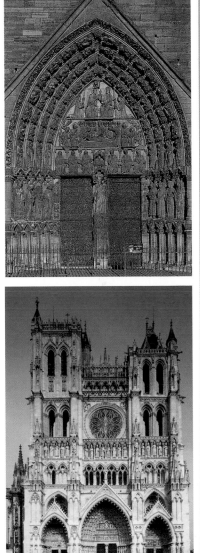

5- Un symbole de pierre

La cathédrale, par son architecture, exprime un message sacré. Les trois portails de la façade (*photo centrale*) évoquent la Sainte Trinité. Le plan en croix rappelle la mort du Christ, tandis que la hauteur et la clarté de l'édifice témoignent de sa résurrection. Les deux bras du transept ⑥ symbolisent l'Ancien et le Nouveau Testament, l'un n'existant pas sans l'autre. L'ensemble de l'édifice préfigure la Jérusalem céleste où s'assemblera le peuple des élus à la fin des temps.

❹

6- La Bible des pauvres

Portails et vitraux racontent aux fidèles l'histoire sainte en images. Jésus enseignant aux hommes occupe la place centrale de la façade. Les artistes n'illustrent que quelques événements de sa vie, ceux que l'on célèbre lors des grandes fêtes religieuses : sa naissance, son baptême, certains miracles, la Tentation dans le désert, sa mort, sa résurrection et son ascension.

Saint Louis

Le fils de Philippe II, Louis VIII, ne règne que trois ans. Lorsqu'il meurt, en 1226, Louis IX, futur Saint Louis, est âgé de douze ans seulement. Pendant huit ans, il règne donc sous la tutelle de sa mère, Blanche de Castille, soutenue par de fidèles conseillers.

Un XIIIe siècle prospère

La monarchie capétienne est désormais suffisamment forte pour que le roi n'ait plus besoin d'être sacré du vivant de son père. La succession de père en fils s'impose. Fidèle à la politique de son grand-père, Louis IX continue d'accroître le domaine royal en plaçant les grandes principautés féodales sous sa tutelle directe. Il signe la paix avec l'Angleterre, qui renonce à la Normandie, au Maine, à l'Anjou et au Poitou. Le royaume commence même à étendre son influence sur la Provence, hors de la limite fixée par le traité de Verdun (*voir p. 48*), grâce au mariage de Charles d'Anjou, frère du roi, avec Béatrice de Provence. Afin de stimuler le commerce, Louis IX impose également sa propre monnaie et limite la circulation de celle des seigneurs à leur seul domaine. Cette politique d'unification est servie par des circonstances favorables. L'agriculture connaît alors de réels progrès avec l'adoption de la charrue ou du moulin à vent qui permettent d'obtenir un meilleur rendement. Le royaume de France devient le plus riche d'Europe.

Un trésor inestimable

L'achat des reliques de la Passion, en 1239, va donner au roi un prestige incomparable. De passage à Paris, l'empereur franc de Constantinople, Beaudoin II, très endetté, propose à Louis IX de lui racheter la couronne d'épines du Christ qu'il a dû mettre en gage auprès des Vénitiens. Louis IX rembourse sa dette et récupère ainsi la plus sainte des reliques, pour laquelle il fait bâtir la Sainte-Chapelle dans le palais de la Cité à Paris. En reprenant le trésor de l'Empire byzantin, Louis IX affirme la puissance de la France et montre qu'il est le véritable successeur de l'empereur romain d'Occident.

La Sainte-Chapelle comporte une chapelle basse pour le culte public, à l'allure de crypte, et une chapelle haute pour le roi.

Saint Louis lavant les pieds d'un moine lépreux de l'abbaye de Royaumont, qu'il a fondée et où il aime se retirer pour prier.

Roi, prêtre et soldat

En 1244, à la nouvelle du pillage de Jérusalem par le sultan d'Égypte, Louis IX fait le vœu de partir en croisade. Pour cela, il fonde la ville portuaire d'Aigues-Mortes sur la Méditerranée. En 1248, les troupes sont prêtes et débarquent à Damiette, en Égypte. Mais les croisés subissent une cuisante défaite devant Le Caire et le roi est fait prisonnier. Louis IX revient en France en 1254, après le paiement d'une lourde rançon. Malgré cette défaite, il est auréolé d'un immense prestige. Sa mort à Tunis, en 1270, lors de la huitième et dernière croisade, achève de construire sa légende. En 1297, son petit-fils, Philippe IV le Bel, obtient du pape Boniface VIII sa canonisation. Louis IX devient ainsi un saint.

Juste mais sans pitié

Lorsqu'il apprend que les officiers royaux peuvent commettre des injustices ou se rendre coupables de corruption, Louis IX est scandalisé. Il confie alors à des légistes, réunis en "parlement", le soin de rendre la justice et met fin au jugement de Dieu en faisant rechercher des preuves par des enquêtes et des auditions de témoins. Parallèlement, il met en place un réseau d'enquêteurs pour contrôler la bonne application des décisions. En agissant ainsi, Louis IX gagne sur les deux tableaux : il fait régner la justice et renforce le pouvoir royal ! Mais lorsqu'il s'agit de religion, Louis IX est sans pitié : pour réprimer les cathares – des chrétiens qui rejettent l'enseignement de l'Église – dans le Sud-Ouest, il n'hésite pas à s'appuyer sur les terribles tribunaux de l'Inquisition, créés par le pape. Les derniers rebelles, appelés hérétiques, sont exterminés en 1244 dans la forteresse de Montségur.

Saint Louis s'embarquant pour la croisade dans le port d'Aigues-Mortes.

Philippe IV le Bel

Ce petit-fils de Saint Louis, soucieux d'affirmer son rang, renforce comme jamais le pouvoir royal. Son règne correspond à un temps de paix relative dont profite la population, nombreuse et mieux nourrie.

Monnaie royale de Philippe le Bel.

L'État s'organise

Afin d'assurer au royaume des rentrées d'argent régulières, Philippe le Bel fait recenser la population et renforce le contrôle des nobles et du clergé. En contrepartie, il charge une assemblée, formée de représentants de la noblesse, du clergé et des bourgeois des villes, d'approuver ses grandes décisions. Il met en place également des administrations, animées par des conseillers qui ne font pas partie de la haute noblesse.

L'aventure flamande

Durant son règne, le dynamisme de la Flandre et de l'Angleterre commence à faire ombrage à la France : les drapiers flamands ont pris l'habitude d'acheter aux Anglais la laine qu'ils fournissent aux tisserands chargés de fabriquer les draps qu'ils se chargent ensuite de vendre dans toute l'Europe. En 1294, ces riches bourgeois voient d'un mauvais œil les Anglais les court-circuiter en vendant la laine directement aux artisans. Ils appellent à l'aide Philippe le Bel et ouvrent leurs villes aux Français. Le roi se réjouit, mais commet l'erreur de supprimer les libertés de Bruges. C'est la guerre. Une paix de compromis est signée en 1305: la France y gagne Lille, Douai et Béthune.

Philippe le Bel recevant l'hommage de son vassal, le roi Édouard II d'Angleterre, duc de Guyenne.

En conflit avec le pape

Fait nouveau, le roi français ose s'opposer
au pape. Pour financer sa guerre contre
les Flamands, Philippe le Bel lève en effet
un nouvel impôt sur le clergé sans en
demander l'autorisation au souverain
pontife. Boniface VIII crie au scandale mais
se plie à la volonté du roi. Un autre sujet de
discorde surgit bientôt : l'évêque de Pamiers,
dans le Sud-Ouest, incite les comtes de
Toulouse et de Foix à se libérer de la tutelle
du roi. Philippe le Bel l'arrête et le fait juger
par un tribunal laïc. Furieux, le pape menace
d'exclure le souverain de l'Église. Les Français
répondent par une expédition punitive !
Heureusement, peu de temps après,
le souverain pontife meurt et un Français
lui succède. Les relations s'apaisent…

Le procès des Templiers

Le roi et le nouveau pape Clément V
désirent ardemment reconquérir les Lieux
saints, perdus en 1270. Pour disposer d'une
force suffisante, ils pensent qu'il faut
fusionner les deux ordres de moines-soldats
chargés de protéger les pèlerins, les Templiers
et les Hospitaliers. Les premiers, forts de
15 000 hommes, sont très riches ; ils sont
devenus les banquiers de l'Europe.
Ce pouvoir inquiète… On les accuse de
mille péchés. Lorsque Jacques de Molay,
le grand maître de l'ordre, refuse toute
réforme, Philippe le Bel réplique en arrêtant
tous les Templiers du royaume le 13 octobre
1307. Après avoir avoué des crimes sous la
torture, cinquante d'entre eux sont brûlés
vifs (*ci-dessus*), ainsi que leur grand maître.
Le roi obtient du pape Clément V
la suppression de l'ordre, en 1312, et
la distribution de ses biens aux Hospitaliers.
Le temps des croisades est révolu et le roi
de France a gagné : la papauté n'interviendra
plus dans les affaires du royaume.

Des problèmes de famille

Mais bientôt, des problèmes familiaux obscurcissent
la fin du règne. Les épouses des trois fils du roi sont
arrêtées pour avoir trompé leur mari, en mai 1314.
La punition est sévère car il s'agit d'empêcher un
scandale dynastique : de quelle autorité disposerait
un roi dont la paternité est douteuse ? Or, après la
mort de Philippe le Bel, la question de sa succession
se pose rapidement, car ses fils meurent coup sur
coup. Aucun d'eux n'a eu de fils. Seule leur sœur
a un héritier, mais elle a épousé le roi d'Angleterre.
Son fils, Édouard III, est donc en droit de revendiquer
la couronne de France…

Mort de Philippe le Bel, tombé de
cheval lors d'une
chasse au sanglier
à Fontainebleau,
en 1314.

Les débuts de la guerre de Cent Ans

La lignée des Capétiens n'ayant plus de descendant mâle direct, l'assemblée des princes et des barons, réunie à Paris, hostile à une monarchie franco-anglaise, désigne le comte Philippe de Valois, neveu de Philippe le Bel, pour monter sur le trône.

Le torchon brûle

Le comte devient ainsi le roi Philippe VI de Valois. Cette décision empoisonne bien sûr les relations avec l'Angleterre. Édouard III fait vœu d'allégeance à Philippe VI à propos de la Guyenne mais, dans le même temps, il combat les Écossais – dont le roi, David Bruce, est hébergé par le roi de France – et soutient les sujets rebelles gascons et flamands… Le 24 mai 1337, Philippe VI confisque la Guyenne et y envoie son armée. Édouard III rétorque en contestant sa légitimité. Une guerre d'un siècle commence, entrecoupée de longues trêves.

Le temps des défaites

Ce long conflit marque un changement très important dans les mentalités : s'il ne semble plus possible que le roi d'Angleterre soit le vassal du roi de France, c'est que le sentiment national est désormais plus fort que la vieille logique féodale. La guerre débute très mal pour les Français qui accumulent les défaites. En 1340, la flotte est anéantie lors de la bataille navale de l'Écluse (vers Bruges), et le 26 août 1346, à la bataille de Crécy-en-Ponthieu, près d'Abbeville, la cavalerie française est décimée par de nouveaux adversaires, les archers. Les Anglais, à la pointe du progrès, utilisent en outre les premières armes à feu. Certes, ces canons à poudre ne sont pas encore vraiment redoutables – on cite juste un œil crevé ! –, mais l'effet psychologique du bruit est considérable. Fort de ses premiers succès, le roi Édouard III consent à signer une trêve d'un an avec Philippe VI de Valois. Celle-ci est prolongée de quelques années du fait de la Peste noire qui fait son apparition (*voir pp. 70-71*).

Archers anglais, parfaitement entraînés grâce aux luttes menées contre les Écossais et les Gallois.

Siège d'une ville à l'aide des premiers canons, les bombardes.

Le Prince Noir fait des ravages

Philippe VI meurt en 1350 et son fils Jean, duc de Normandie, lui succède sous le nom de Jean II le Bon. Dans le camp adverse, le fils d'Édouard III, le prince de Galles, surnommé "le Prince Noir", est nommé lieutenant du roi en Guyenne par le parlement anglais, en 1355. Aussitôt, il entreprend une longue "chevauchée" en Languedoc, pillant et dévastant tout le pays. Les deux armées s'affrontent près de Poitiers, le 19 septembre 1356. Une fois de plus, la chevalerie française est décimée. Comble de déshonneur, le roi Jean II est fait prisonnier et emmené à Londres en captivité. Il sera libéré moyennant une très lourde rançon.

Statue de Charles V provenant de la façade orientale du Louvre.

Le peuple se révolte

Cette défaite plonge le royaume dans l'une des plus graves crises de son histoire. Les paysans, accablés de taxes, se révoltent contre les seigneurs, tandis que les bourgeois de Paris, rêvant d'autonomie, tentent de soumettre la royauté. Charles, le jeune fils du roi captif, reconnu régent par Étienne Marcel, riche drapier élu prévôt des marchands de Paris (il dirige l'administration de la cité), feint la soumission. Mais le jeune prince s'échappe dès qu'il peut et bientôt assiège la capitale. En 1358, il y rentre triomphalement après l'assassinat d'Étienne Marcel.

Charles V reprend les rênes

À la mort de son père, en 1364, Charles est couronné sous le nom de Charles V. Il entreprend de réaffirmer l'autorité royale et charge le chef de son armée, Du Guesclin, de reconquérir patiemment le Sud-Ouest, occupé par le roi de Navarre. À Paris, le souverain procède à la rénovation du Louvre, entame la construction d'une grande enceinte sur la rive droite de la Seine et fait ériger le château de Vincennes ainsi qu'une puissante forteresse, la Bastille, pour réprimer les révoltes éventuelles des Parisiens. Fin lettré, il constitue également une riche bibliothèque dans l'une des tours du Louvre.

La Peste noire

Affaiblis par des famines de plus en plus fréquentes, citadins et paysans ne résistent pas au terrible mal introduit en 1347 par des navires génois : la peste bubonique. En deux ans, l'épidémie fauche presque la moitié de la population. Plus rien ne sera comme avant.

Le revers de la croissance

Après deux siècles de croissance, l'Europe connaît une crise profonde : toutes les terres agricoles sont cultivées et on n'en trouve plus de vierges à défricher ; par ailleurs, aucune nouvelle technique ne permet d'accroître les rendements. Pourtant la population continue de grossir. Inévitablement, les gens mangent moins. La disette les affaiblit et les rend plus vulnérables aux maladies. Les épidémies deviennent plus fréquentes et frappent tous les cinq ans environ. On pense qu'il s'agit d'un châtiment divin et on se prend à regretter "le bon temps de Monseigneur Saint Louis ". Le problème de la succession de Philippe le Bel, le déclenchement de la guerre en 1337, et les défaites successives ne font que renforcer ce sentiment.

Des puces porteuses d'un mal terrible

C'est dans ce contexte que des navires génois, en provenance de la mer Noire, accostent en Sicile et à Marseille en 1347. Leurs cales, comme toujours, sont remplies de rats, mais cette fois, ces animaux sont infestés de puces, porteuses du microbe qui déclenche la peste bubonique. L'épidémie est foudroyante. En deux ans, la peste couvre toute l'Europe occidendale (Italie, France, Allemagne et Angleterre) et remonte jusqu'en Scandinavie. Les grandes villes sont durement touchées en raison de l'entassement des habitants. Là où les archives ont été conservées, les chiffres sont effrayants : entre 40 % et 75 % de la population meurt, surtout les plus jeunes et les plus pauvres. En ville, tous les métiers sont touchés et l'activité économique est brusquement ralentie. À la campagne, il n'y a plus assez de bras pour cultiver la terre et les champs retournent à la friche.

La mort hante les esprits

L'épidémie change profondément les mentalités. Plus que jamais on redoute l'au-delà et l'on est hanté par la mort : sous la forme d'un squelette armé d'une faux, on la représente dans des danses macabres, entraînant seigneurs, paysans et clercs dans une farandole. Ce goût morbide s'exprime aussi à travers les sculptures des tombes où les morts sont désormais figurés comme des écorchés, le corps à vif, ou les multiples représentations du Christ, mort sur la croix. Le clergé profite de cette peur pour mieux encadrer les fidèles : assister aux offices ou donner une messe en mémoire d'un mort devient le meilleur moyen de sauver son âme.

Une population désorientée

Sous le choc, les gens cherchent à expliquer un tel malheur et l'attribuent à une punition divine. Pendant l'été 1349, des populations entières se mettent à pratiquer la pénitence collective en se frappant au fouet. Ces flagellants organisent des processions dans tout le pays. Décimées par la maladie, les familles ne peuvent plus enterrer leurs morts, aussi de nouvelles organisations les remplacent, telles les confréries de pénitents, coiffés d'une cagoule, qui se chargent de la toilette des morts et de leur sépulture.

De nouveaux protecteurs

Plus qu'auparavant, les fidèles se placent sous la protection des saints et surtout de Marie, désormais représentée en Vierge de Miséricorde, abritant sous son manteau toute la population, ou en Vierge de Pitié, pleurant son fils crucifié.

Jeanne d'Arc sauve le royaume

La paix semble revenue. Charles VI, au pouvoir depuis 1380, étant épileptique, son frère, Louis d'Orléans, prend les affaires en main pendant ses crises. Cela déplaît à leur cousin, le duc de Bourgogne.

Ennemis du dehors et du dedans

En 1407, Louis d'Orléans est assassiné en pleine rue de Paris par les hommes de main du duc de Bourgogne, Jean sans Peur. La guerre civile éclate entre les Bourguignons et les Armagnacs, partisans du défunt duc d'Orléans, regroupés autour de Bernard d'Armagnac, chef de l'armée royale. Pendant ce temps, le roi d'Angleterre, Henri V de Lancastre, prépare minutieusement la reprise de la guerre. Il relance le conflit en réclamant l'héritage de son ancêtre. Et le 12 août 1415, il débarque avec douze mille hommes en Normandie, à Harfleur. Le 25 octobre, Français et Anglais se rencontrent à Azincourt. La bataille tourne au massacre : la chevalerie française – près de dix mille hommes – est décimée par les archers anglais. Toute la noblesse est touchée, des princes à la petite chevalerie, et surtout l'administration du royaume : plus de la moitié des représentants du roi , baillis ou sénéchaux (*voir p. 58*), trouvent la mort dans cette bataille.

Portrait de Charles VII par Jean Fouquet.

La France en mal de souverain

Le royaume est presque entièrement occupé par les Anglais, et Paris et le roi sont aux mains des Bourguigons. Charles, le plus jeune fils du roi, se proclame régent. Il contrôle le sud du royaume et feint de se rapprocher de Jean sans Peur pour chasser les Anglais. Mais, lors d'une entrevue de réconciliation, en 1419, ses amis assassinent le duc de Bourgogne. Dès lors, les Bourguignons s'allient aux Anglais et obligent le roi à signer le traité de Troyes : Charles VI déshérite son fils et marie sa fille à Henri V qui héritera de la France. Lorsque celui-ci meurt, quelques mois avant Charles VI, en 1422, son jeune fils Henri VI est proclamé roi de France et d'Angleterre.

Massacre des Armagnacs par les Bourguignons dans les rues de Paris.

Jeanne d'Arc la sauveuse

Jamais le royaume n'a été autant morcelé. À Bourges, le régent est de son côté proclamé roi sous le nom de Charles VII, mais il n'a pas de pouvoir au-delà de son bout de royaume. Alors que la situation semble figée, voici qu'une humble paysanne habitant un comté frontalier, Jeanne d'Arc, vient à Chinon encourager le roi à se défendre. Elle se dit porteuse d'une mission divine. Ayant revêtu l'équipement militaire et entourée de solides compagnons, elle réussit à prendre Orléans, le 8 mai 1429. Cette victoire encourage les troupes et, après une longue chevauchée en plein territoire occupé, Charles VII est sacré roi à Reims. Sa légitimité est clairement affirmée.

Jeanne d'Arc revêtue de son armure et portant l'oriflamme, la bannière du roi de France.

La reconquête du royaume

Malgré l'arrestation et le supplice de Jeanne, brûlée vive à Rouen, en 1431, une dynamique nouvelle est lancée. Les Bourguignons reculent et signent la paix d'Arras, en 1435. La reconquête des territoires peut commencer. Les Français entrent dans Paris le vendredi 13 avril 1436. Puis, après une trêve qui jette sur les routes des milliers de soldats sans emploi, surnommés les "écorcheurs", la guerre reprend en 1449. Charles VII entre dans Rouen et chasse les Anglais du nord de la France. Il ne reste plus que la Guyenne à reconquérir. La bataille décisive a lieu à Castillon, le 17 juillet 1453. Éclatante revanche sur l'histoire : la cavalerie anglaise est taillée en pièces par l'artillerie française. Les Anglais quittent Bordeaux et ne conservent plus que Calais. La guerre de Cent Ans est terminée.

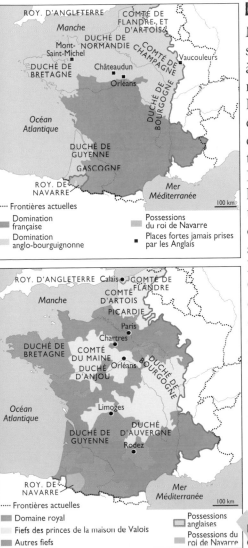

La France à l'arrivée de Jeanne d'Arc, en 1429 (haut), et à la mort de Charles VII, en 1461 (bas).

L'État bourguignon

Du temps de Charles V, la Bourgogne est un apanage : une terre servant à faire vivre son frère Philippe le Hardi. Son descendant, Philippe le Bon, par le jeu des mariages et des héritages, recueille des territoires hors de France : la Franche-Comté et la Flandre. Il dessine ainsi les contours d'un nouvel État au détriment de la France et du Saint-Empire romain germanique.

Les châteaux au fil du temps

Au cours du Moyen Âge, l'architecture du château évolue. Les ouvrages défensifs s'adaptent aux progrès de l'armement et le logis seigneurial, symbole du pouvoir des seigneurs, gagne en confort.

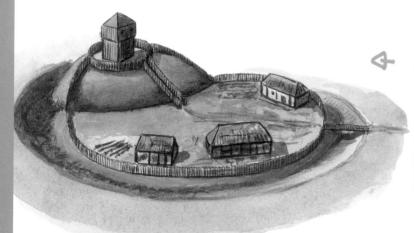

Les mottes féodales

Les châteaux les plus anciens (XIe siècle) comportent une tour principale en bois, construite au sommet d'un monticule de terre. L'ensemble, appelé " motte ", est entouré de plusieurs cours bordées de fossés. La première cour est réservée au seigneur et la seconde aux serviteurs et aux animaux. Le tout est assez étendu pour pouvoir abriter, en cas d'attaque, l'ensemble de la population locale avec le bétail.

Les donjons rectangulaires en pierre

Au XIIe siècle, les tours sont reconstruites en pierre de taille. Modestes dans la plupart des petits châteaux, elles deviennent immenses dans les châteaux des comtes. Ces " donjons romans " ont un rôle à la fois défensif et résidentiel : leur plan carré permet de loger sur plusieurs étages des salles, petites ou grandes, séparées par des cloisons : en hauteur, chambres privées pour la famille du comte et grande salle pour assembler la chevalerie et rendre la justice ; en bas, diverses pièces pour les provisions et l'armement. Autour du donjon, la cour est très large, avec une enceinte plutôt irrégulière.

Les latrines des donjons

Dans ces puissantes tours de pierre, où mettre des toilettes ? On construit d'abord une sorte de logette en encorbellement, au-dessus du fossé, et on y place un siège percé. À l'occasion, on s'y installe pour tirer sur les assaillants et cela donne l'idée des mâchicoulis ! Puis on aménage une petite pièce avec un siège relié par un conduit vertical à une vaste fosse d'aisances sous la tour. Ces cavités sont à l'origine de la légende des fameuses oubliettes…

L'enceinte carrée encadrée de tours

En 1190, Philippe II Auguste entreprend la construction du Louvre à Paris. L'enceinte adopte un plan parfaitement carré : aux angles se dressent des tours, reliées par des courtines surmontées de créneaux ; elles servent de logement aux gardes et de magasin pour les armes. Le donjon est une tour circulaire coiffée d'un grand toit conique. Ce modèle, qui résiste mieux aux tentatives de sape, est bientôt repris pour d'autres châteaux du roi ou de ses proches : Rouen, Villeneuve-sur-Yonne, Dourdan, etc. D'autres, plus simples (*ci-dessus*), gardent l'ancien donjon carré, plus spacieux, mais adoptent le plan de l'enceinte carrée, protégée par des fossés remplis d'eau.

Les châteaux résidentiels

La recherche du confort amène au XIIIe siècle à construire dans l'enceinte des "logis" pour les seigneurs, adossés aux courtines. D'abord en bois puis en pierre, ces bâtiments résidentiels deviennent de plus en plus luxueux et spacieux. Une cour est souvent ajoutée pour abriter la domesticité, les écuries, le bétail et les réserves de fourrage. Par ailleurs, les ouvrages de défense deviennent plus complexes : châtelet d'entrée, pont-levis, etc. Aux XIVe et XVe siècles, certains châteaux sont de vrais palais, comme le Louvre de Charles V ou les premiers châteaux de la Loire.

Louis XI et Charles le Téméraire

La guerre de Cent Ans étant terminée, Charles VII entreprend la reconstruction de son royaume. Il réorganise le parlement et favorise le développement des campagnes et du commerce. À sa mort, en 1461, son fils Louis XI, poursuit la même politique.

La Justice fait peau neuve

Charles VII s'attache tout particulièrement à réorganiser la justice du royaume : il crée deux chambres au parlement, la chambre des enquêtes et la chambre criminelle, et surtout fait des juges des "fonctionnaires", payés par l'État, en leur interdisant de recevoir désormais des cadeaux des justiciables. En même temps, il ordonne que les coutumes orales, qui régissent la société, soient couchées par écrit. Cela prendra plusieurs dizaines d'années.

La guerre du "Bien public"

En arrivant sur le trône, Louis XI écarte les seigneurs qui entouraient son père et s'appuie sur des conseillers issus des classes moyennes. Pour consolider le pouvoir de l'État, il cherche à rogner les privilèges des grands féodaux, dont les plus importants sont les ducs de Bretagne et de Bourbon, et surtout le duc de Bourgogne dont le domaine est devenu un véritable État transnational, à cheval sur la France et le Saint-Empire romain germanique (*voir p. 73*). Ceux-ci se réunissent au sein d'une "Ligue du Bien public", sous la houlette du fils du duc de Bourgogne, Charles le Téméraire. Leur objectif est de détrôner Louis XI et de le remplacer par son jeune frère. La guerre éclate en 1464.

Les grands féodaux, membres de la "Ligue du Bien public", prêtent serment lors de leur conjuration. Sont présents, entre autres, les ducs de Berry, de Bretagne, de Bourbon et de Nemours.

La monarchie sort grandie

Cette guerre menace gravement l'unité du royaume. Louis XI la gagne tant par les armes que par une habile politique d'achat d'alliances qui désorganise le parti des princes. La moyenne noblesse et la bourgeoisie, aspirant à la paix, restent neutres. En 1475, Charles le Téméraire, ayant rompu son alliance avec le duc de Lorraine, tente un ultime conflit au sujet de ses terres de Lorraine et d'Alsace. Mais le 5 janvier 1477, Charles est tué devant Nancy, qu'il essaie de ravir à son adversaire ; on découvre deux jours plus tard son corps, en partie dévoré par les loups. Louis XI annexe le duché de Bourgogne tandis que le comté du même nom devient possession du Saint-Empire germanique grâce au mariage de Marie de Bourgogne avec Maximilien de Habsbourg. La monarchie française sort grandie de ce conflit, avec un État fort et centralisé.

Jeanne Hachette

Le 22 juin 1472, les troupes de Charles le Téméraire mettent le siège devant Beauvais et tentent d'escalader les remparts. La population se mobilise en masse pour les repousser. Hommes et femmes combattent côte à côte. L'une de ces dernières se signale par sa vaillance en repoussant les soldats avec une petite hache. Le lendemain, les renforts envoyés par le roi arrivent et la ville est sauvée. Louis XI récompense Jeanne Laisné, surnommée "Hachette", par l'envoi d'une lettre royale d'héroïsme, et donne aux Beauvaisiens le privilège de posséder des fiefs sans avoir à payer de droits au roi ni à fournir des hommes en temps de guerre.

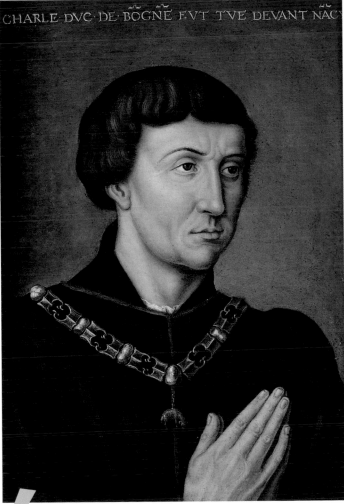

Charles le Téméraire, duc de Bourgogne, en 1467.

Le royaume en 1483, à la mort de Louis XI.

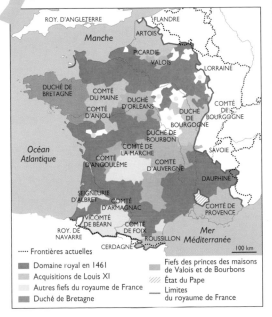

Les villes au XVᵉ siècle

Jusqu'à la guerre de Cent Ans, les villes ont grandi en gagnant de la surface. Les sièges qui se succèdent obligent les habitants des faubourgs à se réfugier à l'intérieur des remparts. Les cités deviennent ainsi beaucoup plus denses.

La ville de Strasbourg au XVᵉ siècle. On distingue bien les différents anneaux de croissance de la cité, avec au centre la vieille ville et tout autour les faubourgs, plus aérés.

Une nouvelle silhouette

À l'intérieur des villes, les maisons sont de plus en plus serrées – des bâtiments sont souvent construits sur l'arrière des cours – et gagnent en hauteur : elles peuvent comporter trois ou quatre étages. Les faubourgs détruits font place à des fortifications très développées et puissantes. Les portes deviennent des ouvrages compliqués et des plates-formes basses sont aménagées dans les remparts pour placer les canons. De larges fossés inondés forment d'immenses étendues d'eau qui favorisent l'apparition de moustiques en été et de nappes de brouillard en hiver. En outre, avec leur population de plus en plus concentrée, les villes deviennent malsaines. L'approvisionnement en eau est crucial, car lorsque les puits sont trop près des fosses d'aisances, l'eau peut être polluée et tous les habitants empoisonnés.

Maison à pans de bois. La partie en encorbellement (en surplomb de la rue) protège le trottoir des intempéries. Le rez-de-chaussée est occupé par une boutique. Le marchand loge avec sa famille au premier et loue le second étage.

Charité bien ordonnée

La peste et la guerre ont plongé dans la misère de nombreuses personnes déracinées. Les enfants abandonnés sont désormais très nombreux. Aussi les municipalités prennent-elles le relais de l'Église, qui jusqu'ici était la seule institution à les recueillir. Beaucoup de villes médiévales se dotent d'un hôpital, ou Hôtel-Dieu, destiné à accueillir les pauvres et les orphelins. Nicolas Rollin, chancelier du duc de Bourgogne, et sa femme Guigonne de Salins fondent ainsi, en 1443, le célèbre hospice de Beaune «pour que les pauvres infirmes y soient reçus, servis et logés». La grande salle contient trente lits pouvant accueillir chacun deux malades. Par ailleurs, les riches bourgeois, pour faire de bonnes actions de leur vivant et gagner ainsi une place au Paradis, distribuent du pain et des vêtements aux plus démunis.

L'apparition des municipalités

Les villes sont désormais aux mains des bourgeois qui désignent des maires et des échevins pour organiser la vie de la cité. Ceux-ci doivent veiller à l'entretien des rues et à la construction d'édifices publics, telles les halles sur la place du marché. Ils sont également chargés de la police municipale et de la surveillance des incendies. Les villes se dotent aussi d'un hôtel de ville avec beffroi : sur cette tour, une horloge publique à carillon ou une cloche sonne l'heure, réglant le temps du négoce et des ateliers. Le beffroi marque ainsi la vie civile, par opposition à la vie religieuse.

Le duc de Bourgogne, fondateur de l'hospice du Saint-Esprit de Dijon, visite l'établissement en compagnie de quelques hauts personnages. On distingue dans la grande salle des femmes en couches et un enfant au berceau.

Les villes de la Flandre – Ypres, Lille, Tournai, Douai, Béthune – se dotent bien avant les autres d'imposantes halles aux draps pour vendre et entreposer les marchandises. Le beffroi qui les domine est le symbole de la puissance de la cité et de la bourgeoisie.

L'éducation au Moyen Âge

Si tous les maîtres d'école sont des religieux, leurs élèves ne sont pas tous destinés à le devenir. Beaucoup apprennent auprès d'eux les rudiments du savoir avant de suivre un apprentissage professionnel.

Sur les bancs de l'école

Jusqu'à cinq ou sept ans, garçons et filles des familles nobles ou bourgeoises grandissent à la maison, au milieu de leurs frères et sœurs. L'âge de raison venu, les garçons sont envoyés se former à l'extérieur. Jusqu'au XIe siècle, beaucoup sont confiés aux écoles des monastères : si leurs parents ne veulent pas qu'ils deviennent moines, ils y restent jusqu'à dix ans et y apprennent à lire, écrire, chanter et compter. À la fin du XIe siècle, les écoles élémentaires se multiplient dans les villes : artisans et marchands y envoient leurs enfants. L'enseignement y est théoriquement gratuit. Certains écoliers pauvres sont pris en charge dans des collèges, fondés à leur intention par de riches seigneurs. Les monastères de femmes reçoivent également des petites filles nobles : elles y apprennent la lecture, l'écriture, le chant et les travaux d'aiguille.

Le psautier, premier livre de lecture

Les petits écoliers du Moyen Âge apprennent à reconnaître les lettres et les syllabes dans un abécédaire, puis déchiffrent des versets sacrés dans un recueil, le psautier. On y trouve aussi des proverbes et de petites fables moralisantes, inspirées de textes antiques. Les plus connues sont celles du loup et de l'agneau, du corbeau et du renard ou de la cigogne et de la grenouille. Tout cela est écrit en langue vulgaire (*voir encadré*), car le maître des petites écoles n'a pas le droit d'enseigner le latin. Les enfants s'entraînent à écrire sur une tablette recouverte de cire ou de chaux sur laquelle ils tracent les lettres à l'aide d'un bâtonnet aiguisé, le stylet.

Sur le bout des doigts !

Le manuel scolaire le plus courant et le moins cher est la main ! Sur les doigts, on apprend à compter, à mémoriser les notes de musique écrites en lettres d'alphabet, à retenir la date des fêtes religieuses, les prières et les Dix Commandements. Au Moyen Âge, savoir ses leçons sur le bout des doigts n'est pas une simple expression !

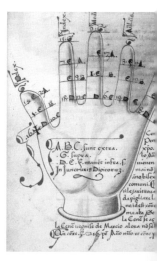

Les apprentissages

Vers douze ans, selon sa naissance et le métier auquel il est destiné, l'enfant suit un apprentissage approprié. Les jeunes nobles sont confiés au roi ou à un seigneur pour apprendre à devenir chevalier : la lutte, l'équitation, la course, le lancer du javelot, le dressage des faucons et des chiens pour la chasse, l'entraînement au tournoi, etc. leur sont enseignés. Les enfants des villes sont placés en apprentissage au service d'un artisan pendant une dizaine d'années. Lorsqu'ils commencent à progresser, ils peuvent percevoir un salaire. Quant aux petits paysans, on les envoie très jeunes garder les bêtes, puis ils aident aux travaux des champs. Le curé de la paroisse peut quelquefois leur donner, l'hiver, un minimum d'instruction.

L'université

Au XIIe siècle, grâce aux contacts avec l'Islam, l'Europe redécouvre beaucoup de textes philosophiques et scientifiques grecs. Ces textes sont étudiés dans les universités qui apparaissent au XIIIe siècle. Chacune a sa spécialité : la théologie à Paris, le droit et la médecine à Montpellier, etc. Les étudiants vont de l'une à l'autre à travers l'Europe et les diplômes qu'ils obtiennent sont valables dans toute la chrétienté. Les sept premières années, ils apprennent la grammaire, la littérature et la philosophie (le *trivium*), puis la géométrie, l'arithmétique, l'astronomie et la musique (le *quadrivium*). Les étudiants peuvent ensuite se spécialiser.

Se quicqd collaudit scribarum turba tuoz.
uncupis q patris ueligia petit sequuntur.
Que genuit celebrem scribis unzola propago.

Une tour de Babel !

Au Moyen Âge, on ne parle pas la même langue d'un bout à l'autre du pays ! Mais à l'exception du basque, dans le Sud-Ouest, du breton et du flamand (au nord de la France), tous les dialectes dérivent du gallo-romain. Les savants du siècle dernier les ont regroupés en deux grandes familles selon la manière dont les gens disent "oui". Au nord, l'expression latine *hoc ille* (" c'est ça ") étant devenue *o-il*, on parle de langue d'oïl ; les dialectes picard, normand, bourguignon et francien en font partie. Dans le Sud, l'expression latine s'étant métamorphosée en *oc*, on parle de langue d'oc ou de franco-provençal,

Les Temps modernes

Les trois derniers siècles de l'Ancien Régime marquent profondément le pays. Après l'éclat de la Renaissance et les ravages des guerres de Religion, le XVIIᵉ siècle voit triompher en France la monarchie absolue et le catholicisme. À la fin du XVIIIᵉ siècle, la Révolution transforme la société et donne naissance à un nouvel idéal, fondé sur la liberté et l'égalité des hommes. Tout au long de cette période, la bourgeoisie renforce son pouvoir économique et social jusqu'à dominer la vie politique au XIXᵉ siècle.

Les guerres d'Italie

Quand François Ier arrive au pouvoir, le 1er janvier 1515, c'est un tout jeune homme de vingt et un ans. Il succède à son cousin Louis XII, dont il a épousé la fille, Claude de France. À peine monté sur le trône, il lance son armée vers l'Italie.

L'Italie, un vieux rêve français

François Ier décide en effet de récupérer le duché de Milan, perdu par Louis XII deux ans auparavant. En agissant ainsi, il ne fait que reprendre le rêve italien de ses prédécesseurs : dès 1492, Charles VIII, grand lecteur de romans de chevalerie, s'était mis en tête de reconquérir le royaume de Naples sur lequel sa famille avait eu des droits deux siècles plus tôt ! Ainsi débutent les guerres d'Italie. En 1498, Charles VIII meurt sans enfant : son cousin devient roi de France sous le nom de Louis XII. Lui aussi rêve de conquêtes italiennes. Après s'être emparé du duché de Milan, en 1499, il enlève Naples. Le triomphe est de courte durée : dès 1503, les Français doivent se replier et abandonner peu à peu leurs conquêtes.

Louis XII et Anne de Bretagne en prière, vers 1500.

Héritage personnel de Charles Quint
— Frontières du Saint-Empire romain germanique
○ Territoires africains
···· Frontières actuelles

L'Empire de Charles Quint à son avènement.

Trois mariages pour un duché

Vers 1480, la Bretagne est le dernier des grands États féodaux encore indépendant. Mais le duc de Bretagne a promis que son héritière, Anne, ne se marierait pas sans l'accord du roi de France. Or, celle-ci épouse en 1490 le futur empereur d'Allemagne, Maximilien de Habsbourg. Cette union est inacceptable : la France risque d'être prise en tenaille par les Habsbourg. Le roi Charles VIII part donc en guerre contre la duchesse Anne. Vaincue, elle doit annuler son mariage et épouser le roi de France. La mort accidentelle de celui-ci, en 1498, l'oblige à se remarier avec… son successeur, le roi Louis XII. Pour rattacher définitivement le duché à la France, leur fille, Claude de France, épouse le roi François Ier en 1514. Ouf ! La Bretagne est française !

Lors de la bataille de Pavie, François Iᵉʳ tombe de cheval (premier plan, à gauche). Capturé, il doit se rendre.

Charles Quint, un voisin bien gênant

Neuf mois après son arrivée au pouvoir, le 14 septembre 1515, François Iᵉʳ vainc les troupes du duc de Milan à la bataille de Marignan (près de Milan). Fort de sa victoire, le roi de France se fait armer chevalier sur le champ de bataille par le plus courageux de ses hommes, le chevalier Bayard. Désireux d'augmenter encore son prestige, il cherche à se faire élire empereur du Saint-Empire romain germanique. Mais un autre candidat, Charles Iᵉʳ d'Espagne – qui va régner sous le nom de Charles Quint–, est choisi en 1519. La France se retrouve encerclée par les vastes territoires sur lesquels règne ce riche héritier : Naples, la Sicile et l'Espagne, les Pays-Bas, le Milanais et les pays allemands. Comble de malchance, François Iᵉʳ est fait prisonnier en 1525, à la bataille de Pavie, au sud de Milan. Il doit renoncer à ses rêves et payer une lourde rançon pour sa libération. Jusqu'à sa mort, il essaiera de trouver des alliés pour vaincre son puissant ennemi.

La paix de Cateau-Cambrésis

En 1547, François Iᵉʳ meurt. Son fils Henri II monte sur le trône et reprend la lutte contre Charles Quint pour essayer de briser l'encerclement territorial. La guerre ne se déroule plus en Italie, mais dans l'est de la France ; en 1552, Henri II s'empare de Metz, Toul et Verdun. En 1555, Charles Quint cède le pouvoir à son fils Philippe II qui remporte deux ans plus tard une grande bataille à Saint-Quentin (Aisne). Mais leurs pays étant épuisés, les souverains finissent par signer la paix, en 1559, à Cateau-Cambrésis, près de Cambrai. Pour sceller cet accord, Philippe II épouse Élisabeth de France, la fille d'Henri II. Les noces tournent à la tragédie lorsque Henri II reçoit, lors d'un tournoi, une lance dans l'œil et meurt peu après.

L'armure de François Iᵉʳ.

Le "beau XVIᵉ siècle"

Après les ravages de la guerre de Cent Ans et de la peste, la France retrouve la prospérité dans la première moitié du XVIᵉ siècle et se modernise.

Le premier souverain absolu

Malgré les nombreuses guerres qu'il mène durant son règne, François Iᵉʳ fait de la France un État puissant et moderne. Il met en place une administration royale qui contrôle de plus en plus étroitement le pays. Pour cela, il se fait aider de l'Église. En 1539, l'édit de Villers-Cotterêts oblige ainsi les curés à noter dans des registres les baptêmes, puis les mariages et les enterrements de leurs paroissiens. Grâce à ces listes, le roi peut désormais mieux connaître ses sujets. De plus, cet édit décrète que tous les actes officiels seront rédigés en français, la langue du roi, et non plus en latin ou en langue régionale.

Portrait équestre de François Iᵉʳ.

Jacques Cartier ramène de sa première expédition dans le golfe du Saint-Laurent deux Indiens Micmacs.

L'horizon s'élargit

Jusqu'à François Iᵉʳ, la France est restée à l'écart des grandes expéditions maritimes : seuls le Portugal et l'Espagne se sont lancés dans la conquête du Nouveau Monde, après que Christophe Colomb eut découvert l'Amérique, en 1492. Ces pays contrôlent désormais la précieuse route des épices. François Iᵉʳ, conscient de ce handicap, charge, en 1534, le navigateur Jacques Cartier de trouver une nouvelle voie pour gagner l'Inde par le nord-ouest. Parvenu sur la côte de l'Amérique du Nord, Cartier prend possession au nom du roi de France d'un territoire qu'il appelle "Nouvelle-France". Il parcourt la côte canadienne, remonte le Saint-Laurent jusqu'au village de Stadacona (actuel Québec) et revient en France. En 1535, il repart et remonte cette fois le Saint-Laurent jusqu'à Hochelaga (Montréal). La France y gagne ses premières terres lointaines.

De l'or pour tous ?

Jusqu'au milieu du XVIᵉ siècle, la France connaît une vraie période de prospérité : la population croît et les villes se développent. Grâce à l'or du Mexique et à l'argent du Pérou que rapportent les colons espagnols et portugais, plus de pièces circulent en Europe. Seul problème : la production des marchandises et des denrées alimentaires n'augmente pas à la même vitesse que celle de la monnaie. Beaucoup de produits, venant à manquer, deviennent plus chers et la monnaie, trop abondante, perd de sa valeur. Si les marchands profitent de cette hausse des prix, les paysans et la noblesse, eux, s'appauvrissent. Malgré l'afflux d'or, tout le monde ne s'enrichit donc pas à cette période. De plus, les guerres coûtant fort cher, François Iᵉʳ est obligé dans la deuxième partie de son règne de lever de nouveaux impôts. Le peuple, mécontent, se révolte à plusieurs reprises.

Le testament d'Adam !

En 1494, le pape décrète que la conquête des terres américaines sera réservée aux Espagnols et aux Portugais. Il interdit à tout autre peuple de se rendre en Amérique pour y commercer. François Iᵉʳ, qui ne l'entend pas de cette oreille, déclare : « Je voudrais bien voir la clause du testament d'Adam qui m'exclut du partage du monde ! » À défaut de braver l'interdiction, il préfère lancer contre les navires espagnols chargés d'or, d'argent et de pierres précieuses de redoutables corsaires comme Jean Fleury.

Pièce d'argent de deux réaux frappée en 1590 par le roi d'Espagne dans l'atelier de la ville de Potosi, en Bolivie, où de fantastiques mines d'argent avaient été découvertes.

Les conquérants espagnols dessinés par un Aztèque dans un manuscrit du XVIᵉ siècle, le *Codex azcatitan*.

Le temps de la Renaissance

Grâce aux guerres d'Italie, François Ier et ses proches découvrent l'art italien qu'ils introduisent en France.

Un nouveau souffle venu d'Italie

L'expression " Renaissance " est apparue en Italie au XVe siècle. Elle signifie "nouvelle naissance de l'art". Les artistes italiens de l'époque, soucieux de rompre avec le Moyen Âge qu'ils considèrent comme une "longue nuit", s'inspirent de l'art grec ou romain. Ils recherchent la symétrie en architecture et inventent une nouvelle technique pour représenter l'espace : la perspective. L'homme, le corps humain et les scènes mythologiques deviennent des sujets à la mode. Ci-dessous, *La Charité*, peinte par Andrea del Sarto pour François Ier.

De l'Italie aux châteaux de la Loire

Fasciné par la Renaissance italienne et amoureux des arts, François Ier achète de nombreux tableaux de maîtres italiens et tente d'attirer ceux-ci en France. Si Michel-Ange et Raphaël ne se laissent pas séduire, Léonard de Vinci, Andrea del Sarto, Serlio, le Rosso ou le Primatice acceptent l'invitation et travaillent au service du roi. François Ier les charge de transformer les châteaux royaux du val de Loire et surtout Fontainebleau, sa résidence préférée. Son fils Henri II continue son œuvre en demandant à deux Français, l'architecte Pierre Lescot et le sculpteur Jean Goujon (*ci-contre l'une de ses Cariatides*), de construire le nouveau Louvre. Les façades, rythmées par des lignes horizontales et des colonnades, obéissent à la loi de la symétrie.

Progrès ou recul ?

La redécouverte de l'Antiquité n'a pas eu que des effets positifs. Ainsi, tandis que l'Europe s'ouvre sur le Nouveau Monde, l'exemple romain permet aux souverains de justifier la pratique de l'esclavage, bien utile dans les nouvelles colonies...

Du château au palais

L'invention de la poudre, au XVIe siècle, rend désormais inutiles les châteaux forts dont les murailles ne résistent pas aux boulets de canon. Les châteaux perdent leur rôle militaire et deviennent des lieux de résidence. Les étroites meurtrières cèdent la place à de larges fenêtres par lesquelles la lumière pénètre à flots. Le château gothique de Blois (*ci-dessous*) est ainsi réaménagé par Louis XII. Les nouvelles façades s'ornent de sujets animaliers et les salles de sculptures et de panneaux peints. François Ier fait ajouter un bâtiment supplémentaire où triomphe le goût "à l'italienne", avec un élégant escalier extérieur à double rangée de marches. Les demeures royales comprennent désormais de véritables appartements, des salles de bal et des galeries où sont exposées des collections de sculptures antiques et de peintures. La galerie François Ier, à Fontainebleau, décorée par le Rosso et le Primatice, en est l'un des plus beaux exemples.

L'humanisme

Le renouveau ne touche pas que les arts. La littérature et la pensée philosophique connaissent, elles aussi, une révolution. Les intellectuels de l'époque, les humanistes, croient en l'intelligence de l'homme et au progrès. Ils se passionnent autant pour les dernières inventions que pour les auteurs antiques dont ils traduisent les œuvres en français (on voit ici Antoine Macault lisant à François Ier sa traduction de Diodore de Sicile, un historien grec). Grâce à l'imprimerie, leurs travaux sont diffusés auprès d'un plus large public. Ils encouragent également un enseignement plus moderne dans les universités. Sur leurs conseils, François Ier crée le Collège de France.

L'amour de la langue française

Admirateurs des artistes italiens qui ont écrit des œuvres magnifiques dans leur langue nationale, certains écrivains français décident de suivre leurs traces. Ils forment un groupe, la Pléiade, et défendent face au latin la richesse de la langue française. Ses principaux animateurs sont les poètes Joachim du Bellay et Pierre de Ronsard (*ci-contre*). Rabelais et Montaigne privilégient quant à eux la prose et laissent des œuvres pleines d'humour et de sagesse, comme *Gargantua* et les *Essais*.

Les guerres de Religion

Depuis la Grande Peste, les hommes vivent dans la crainte de la mort et de l'enfer et se tournent plus que jamais vers la religion. Pourtant, ils sont de plus en plus nombreux à trouver l'enseignement de l'Église dépassé.

Les dérives de l'Église

Pour apaiser leurs angoisses, les hommes prient avec ferveur la Vierge Marie et les saints et vont jusqu'à acheter aux prêtres des lettres accordant le pardon de leurs péchés, les "indulgences". Cet étrange commerce est l'un des nombreux abus commis au sein de l'Église : le pape et les évêques vivent en grands seigneurs et s'occupent plus de politique et d'art que de religion. Quant aux prêtres, souvent ignorants, ils ne savent pas répondre aux questions de leurs paroissiens. Aussi les fidèles lettrés se procurent-ils une édition de la Bible, moins rare grâce aux progrès de l'imprimerie, et commencent-ils à méditer tout seuls les textes saints.

Un temple protestant de Lyon. Les fidèles écoutent la lecture de la Bible.

La France pendant les guerres de Religion.

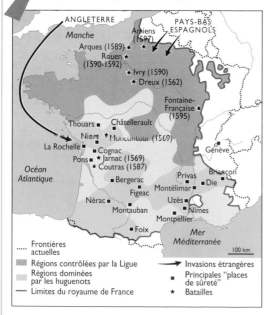

Les Réformes de Luther et de Calvin

En 1517, un moine allemand, Martin Luther, plaide ouvertement pour la "réforme" de l'Église qu'il accuse de s'être écartée de l'enseignement du Christ. Luther ne reconnaît que deux sacrements, le baptême et la communion, et refuse la messe traditionnelle et les prêtres. Selon lui, les fidèles doivent se fonder avant tout sur la Bible et revenir à une religion plus intérieure. C'est pourquoi il traduit les textes saints en allemand. Sa doctrine se répand vite parmi les populations alphabétisées : la bourgeoisie urbaine et la noblesse. En France, il faut attendre 1540 pour que Jean Calvin commence à la prêcher. Les adeptes de cette nouvelle religion sont appelés "calvinistes", "huguenots" ou "protestants".

La Saint-Barthélemy

En août 1572, la noblesse protestante est à Paris pour assister au mariage d'Henri de Navarre avec la sœur du roi, Marguerite de Valois (la " reine Margot "). Catherine de Médicis persuade son fils, Charles IX, que si les protestants ne sont pas exterminés, il risque de perdre son trône. Le jeune roi hésite, puis il cède le dimanche 24 août. On massacre les protestants pendant une nuit entière et l'on pille leurs demeures. Plus de 2 000 d'entre eux sont tués à Paris et près de 27 000 en province.

La France bascule dans la guerre civile

Durant les premiers temps de son règne, François Ier laisse le calvinisme se développer en France : une partie de la noblesse et les riches marchands des ports de Nantes, Bordeaux et Marseille se convertissent, ainsi que les paysans du Poitou, du Béarn et des Cévennes. Mais ailleurs, la paysannerie est choquée par le rejet du culte des saints. En 1534, le roi change d'attitude après que des protestants ont manifesté publiquement contre la messe catholique, à Amboise. À partir de 1562, la France bascule dans la guerre civile. La famille des Guise prend la tête du camp catholique, soutenu par l'Espagne, alors que les protestants, appuyés par l'Angleterre, suivent les Bourbons. Massacres et assassinats se succèdent, dévastant le pays. Après la Saint-Barthélemy (*voir encadré*), Henri de Guise réunit ses partisans dans une puissante association, la " Ligue ", que finance le roi d'Espagne. Henri de Guise rêve de succéder à Henri III, le petit-fils de François Ier, qui n'a pas d'enfant; en 1588, il tente même d'enlever le roi ! Mais celui-ci parvient à s'enfuir et fait assassiner Guise. Un an plus tard, Henri III est à son tour poignardé par le moine Jacques Clément.

Procession de ligueurs.

Non au roi protestant !

En l'absence d'héritier, la couronne revient à son cousin protestant, Henri de Navarre. Premier de la maison des Bourbons à régner sur la France, il prend le nom d'Henri IV. Mais beaucoup de Français refusent d'être gouvernés par un protestant, même s'il a fait le serment à Henri III, sur son lit de mort, de se convertir. Le duc de Mayenne, qui a pris la tête des ligueurs catholiques, lève une armée pour s'opposer au nouveau roi.

Cousin au 21e degré

Pour comprendre comment Henri IV est devenu roi de France et de Navarre, il faut remonter très loin dans la généalogie de la dynastie capétienne, jusqu'au XIIIe siècle. Par son père, Antoine de Bourbon, Henri IV descend en effet de Robert de Clermont, sixième fils de Saint Louis. C'est pour cette raison qu'il succède aux Valois, ses cousins au vingt et unième degré…

Le "bon roi Henri"

Face à l'armée des ligueurs emmenée par le duc de Mayenne, Henri IV se voit contraint de conquérir par les armes son nouveau royaume.

Une reconquête longue et difficile

L'armée royale, pourtant inférieure en nombre à celle des ligueurs, remporte victoire sur victoire grâce à l'intelligence stratégique d'Henri IV. Pour que son avantage soit définitif, il lui faut soumettre Paris. Or les Parisiens refusent d'ouvrir leurs portes à un roi protestant. Henri IV est contraint d'assiéger la capitale. C'est un échec. Au bout de plusieurs mois, le roi doit lever le siège tandis qu'une garnison espagnole, envoyée par Philippe II d'Espagne, s'installe dans la capitale. Afin de contrer les plans du roi espagnol, qui espère mettre sa fille Isabelle sur le trône de France, Henri IV renonce à sa foi protestante le 17 mai 1593. Ce geste suffit à ramener la paix : Paris ouvre ses portes. Henri IV se retourne alors contre les Espagnols et les bat à Fontaine-Française, près de Dijon, avant de conclure la paix de Vervins, en 1598.

Henri IV reconquérant son royaume.

Henri IV, le 17 mai 1593, se convertit au catholicisme dans la basilique Saint-Denis.

L'Édit de Nantes

La même année, Henri IV met fin aux guerres de Religion en imposant l'Édit de Nantes. L'Église catholique est rétablie en tant que religion officielle et son culte doit être célébré partout en France. Les protestants obtiennent quant à eux le droit de pratiquer publiquement leur culte dans quelques villes du pays, l'égalité devant la loi, l'accès à tous les emplois et reçoivent plusieurs " places de sûreté ", c'est-à-dire des villes fortifiées comme La Rochelle et Montauban, où ils ont le droit de se réunir pour discuter de leurs intérêts.

Élevage de vers à soie. Leur cocon fournit les fils du précieux tissu.

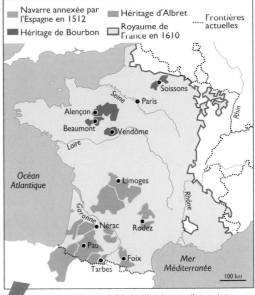

Le royaume en 1610, enrichi de l'héritage d'Henri IV.

La France prospère d'Henri IV et de Sully

La paix retrouvée, Henri IV s'occupe de relever l'économie de la France, ruinée par quarante ans de conflits. Il est aidé dans cette tâche par son ministre et ami Sully. Les finances, l'agriculture, le commerce et l'industrie sont restaurés : « Labourage et pâturage sont les deux mamelles qui nourrissent la France », rappelle souvent Sully, tandis que le roi se plaît à déclarer : « Si Dieu me donne vie, je ferai qu'il n'y aura labourcur en mon royaume qui n'ait moyen, le dimanche, d'avoir poule au pot. » Henri IV encourage l'industrie textile de la soie, fonde de grandes manufactures de tapisseries et fait tracer des routes pour faciliter le commerce.

Maudits Habsbourg !

La France étant redevenue prospère, Henri IV décide de frapper à son tour la puissante maison des Habsbourg qui domine toujours l'Europe. Malheureusement, alors qu'il se prépare à entrer en guerre, il est assassiné. Sa mort touche peu le peuple qui lui reproche d'avoir augmenté le poids des impôts en raison de sa politique extérieure.

L'assassinat d'Henri IV

Le 14 mai 1610, Henri IV se rend en carrosse chez Sully. Rue de la Ferronnerie, la voiture ralentit. Un homme prend appui sur la roue arrière et frappe le roi à la poitrine avec un couteau. Henri IV meurt quelques heures plus tard. Le régicide s'appelle François Ravaillac. Il déclare avoir tué le roi parce qu'il avait entendu dire qu'Henri IV voulait faire la guerre au pape et préparait un massacre des catholiques.

Louis XIII et Richelieu

À la mort de son père, Louis XIII n'a que neuf ans. La majorité royale étant à treize ans, le parlement de Paris demande à sa mère, Marie de Médicis, d'assurer la régence au nom de son fils.

Une régence troublée (1610-1617)

Dépourvue de talent politique, la reine mère accorde sa confiance aux ligueurs et à un couple venu avec elle d'Italie : Leonora Galigaï, sa sœur de lait, et son mari, Concini. Leur politique d'intrigues déstabilise dangereusement le pouvoir. Irrité d'être tenu à l'écart, le jeune Louis XIII décide en 1617 de reprendre les affaires de l'État en main : il fait assassiner Concini et ordonne à sa mère de ne plus s'occuper de politique.

Louis XIII couronné par la Victoire.

Richelieu et la "raison d'État"

En 1624, Armand-Jean du Plessis, nommé cardinal de Richelieu depuis deux ans, entre au conseil du roi. Très vite il devient le véritable maître de la France. Sa politique, qui vise à restaurer la " grandeur du royaume ", a trois grands objectifs : ruiner le puissant parti protestant qui, selon lui, menace le gouvernement de la France ; faire courber la tête aux nobles qui refusent de reconnaître la souveraineté du roi ; et lutter contre les Habsbourg, dont la puissance reste toujours aussi inquiétante pour le royaume. C'est ainsi qu'en 1635, Richelieu engage le pays dans la guerre de Trente Ans qui oppose les Habsbourg catholiques aux princes allemands protestants.

Richelieu, aumônier de la reine, devient cardinal en 1622, après avoir réconcilié le roi avec sa mère.

Vers un État moderne et centralisé

Mais la guerre coûte cher et les impôts, de plus en plus lourds, qui sont levés pour la financer, provoquent de nombreuses révoltes populaires, comme celle des Croquants en Limousin, sévèrement réprimées. Pour maintenir l'ordre en province, Richelieu nomme des "intendants de police, justice et finance", qui disposent des pleins pouvoirs au nom du roi. Grand serviteur du royaume, Richelieu engage la France dans la voie qui en fera un État moderne. Il tente de relancer le commerce en dotant le pays d'une meilleure flotte et en agrandissant son empire colonial. Il fonde aussi l'Académie française et l'Imprimerie royale afin d'assurer la domination de la langue française sur les autres langues du royaume (occitan, breton, etc.). À sa mort, en 1642, la France est de nouveau forte et redoutée. Pour lui succéder, Louis XIII appelle le cardinal Mazarin, mais, six mois plus tard, c'est au tour du roi de décéder. La France entre de nouveau dans une période de régence.

Anne d'Autriche présentant le jeune dauphin, Louis XIV, avant 1643.

Mazarin : de la Fronde à la paix

En 1643, Louis XIV n'a que cinq ans. La régence est confiée à sa mère, Anne d'Autriche, qui garde le cardinal Mazarin comme principal ministre. Les armées françaises remportent plusieurs victoires sur la maison d'Autriche qui, en 1648, doit signer les traités de Westphalie. Si la guerre de Trente Ans est finie, la guerre avec l'Espagne continue ! La même année, une révolte éclate à Paris. Les nobles du royaume et le parlement de Paris se rebellent contre l'augmentation des impôts. C'est la Fronde. Elle sera définitivement réprimée en 1653. Reste la question de l'Espagne. Fin diplomate, Mazarin manœuvre pour obliger le roi d'Espagne à accepter le mariage de sa fille, Marie-Thérèse d'Autriche, avec Louis XIV. Philippe IV d'Espagne s'y résout et signe, en 1659, le traité des Pyrénées, qui donne à la France le Roussillon et l'Artois.

Tous pour un...

Le corps des mousquetaires, devenu célèbre grâce au roman d'Alexandre Dumas, *Les Trois Mousquetaires*, voit le jour en 1622. Les 150 gentilshommes qui le composent portent la casaque bleue ornée d'une grande croix d'argent et sont chargés d'escorter le roi dans ses déplacements. Le cardinal de Richelieu s'entoure lui aussi de mousquetaires et les querelles entre les deux compagnies ne sont pas rares !

Louis XIV, le "Roi-Soleil"

À la mort de Mazarin, Louis XIV décide de gouverner seul, sans l'assistance d'un Premier ministre. Caprice de jeune homme ? Non, ferme résolution qu'il tiendra durant cinquante-quatre ans !

Surnommé le "Roi-Soleil", car l'État s'organise autour de lui comme autour d'un soleil qui l'éclairerait, Louis XIV s'entoure d'hommes capables et dévoués, de grands ministres issus de la bourgeoisie. C'est ainsi qu'il nomme de Lionne ministre des Affaires étrangères et Louvois ministre de la Guerre. Il charge l'ingénieur Vauban de fortifier les villes des frontières ainsi que les cités conquises pour les rendre imprenables. Mais le poste le plus important est tenu par Colbert, contrôleur général des finances. Celui-ci considère que la richesse d'un pays est constituée de l'or et de l'argent qu'il possède. Mais à l'époque, l'importation des produits étrangers est payée avec ces métaux précieux. Pour décourager de tels

achats qui appauvrissent les réserves du pays, Colbert décide que la France doit produire tout ce qu'elle consomme. La création de manufactures est encouragée : on y fabrique des objets de luxe, des tapisseries (Gobelins, Aubusson, Beauvais) et du verre (Saint-Gobain). Avec Louis XIV, la monarchie devient absolue : tous les pouvoirs sont concentrés entre ses mains. Le roi n'est soumis à aucune puissance terrestre, mais il doit respecter la loi de Dieu et ne pas agir contre la morale. Cette nouvelle autorité rencontre, bien sûr, des oppositions et des échecs, car beaucoup de mesures sont mal appliquées : le royaume est immense par rapport à la lenteur des moyens de communication, ce qui n'en facilite pas le contrôle.

Versailles et le classicisme

Louis XIV, omniprésent, intervient aussi dans le monde artistique et intellectuel. Le roi protège les artistes qui lui sont dévoués et leur commande de nombreuses œuvres d'art. Un style nouveau voit le jour : le classicisme.

Un grand mécène

Louis XIV, comme tous les souverains de l'époque, est un mécène : il encourage et soutient financièrement tous les arts et les artistes qui, en retour, célèbrent sa gloire et sa personne. Ainsi commande-t-il à la manufacture des Gobelins une suite de tapisseries consacrée à l'histoire de son règne (*ci-contre*). Le roi verse également des pensions à des hommes de lettres qu'il accueille à la cour (Molière, Boileau, Racine). Pour le palais qu'il décide de construire à Versailles, il fait appel aux meilleurs artistes : les architectes Le Vau et Mansart, le peintre Le Brun pour les décors et le jardinier Le Nôtre. Commencés dès 1661, les travaux dureront plus d'un demi-siècle et mobiliseront jusqu'à 36 000 ouvriers.

Un style typiquement français

En architecture, Louis XIV encourage un style qui s'inspire de l'Antiquité : le classicisme. Par opposition à l'art baroque qui règne ailleurs en Europe, les Français inventent une architecture dominée par l'ordre et la symétrie : la ligne droite est privilégiée par rapport à la ligne courbe, la construction doit être en belles pierres, les façades sont décorées de colonnades régulières et de hautes fenêtres. Les jardins, dits "à la française", sont eux aussi dessinés selon un tracé géométrique.

Le Grand Siècle du français

Sous Louis XIV, le français devient la langue obligée de la noblesse grâce
à toute une série de mesures : élaboration d'une grammaire et d'un
dictionnaire par l'Académie, enseignement de son bon usage et
de la prononciation dans les collèges et les écoles royales, etc.
La littérature est codifiée : Boileau fixe les règles de la poésie dans
son *Art poétique* (1674) et impose la règle des trois unités au
théâtre (un drame doit se passer en une seule journée, en un seul
lieu et ne comporter qu'une seule intrigue). Molière (*ci-contre*)
renouvelle le genre de la comédie et enlève aux acteurs italiens
le monopole du rire. Racine, quant à lui, s'illustre dans la tragédie
avec, notamment, *Andromaque*. Enfin, c'est à cette époque que l'opéra
(théâtre chanté) se développe en France grâce au talent de Lully,
le compositeur préféré de Louis XIV.

Arts et sciences sous contrôle

Louis XIV ne se contente pas
d'être un mécène. Il crée des
académies pour les historiens,
les artistes et les savants, comme
l'avait fait Richelieu pour les
écrivains, avec l'Académie
française. Le roi finance ces
institutions et en fixe les missions.
Par ailleurs, la censure royale
surveille tous les écrits et interdit
ceux qui lui déplaisent. Malgré
cela, certains écrivains tels que
Jean de La Fontaine et le duc
de La Rochefoucauld réussissent
à garder une certaine indépendance
et à critiquer leur époque.

Une " cage dorée " pour la noblesse

Louis XIV conserve un souvenir cuisant de
la Fronde. Aussi veille-t-il durant son règne
à contrôler étroitement la noblesse. Pour
mieux la surveiller, il déplace la cour
à Versailles. Des milliers de nobles intriguent
désormais pour obtenir honneurs et faveurs,
notamment le privilège d'assister aux repas
et au coucher du souverain dont la journée,
réglée par un cérémonial précis, est devenue
l'objet d'un véritable culte. Cloîtrés dans
cette " cage dorée ", les nobles sont devenus
des " courtisans ".

La France malade des guerres de Louis XIV

La volonté de puissance de Louis XIV l'entraîne dans de longues guerres qu'il doit financer par de nouveaux impôts. À sa mort, il laisse une dette multipliée par dix !

Le roi de France fait son « pré carré »

Dès son avènement, Louis XIV ambitionne d'agrandir le territoire de la France – son « pré carré » selon Vauban – et d'affirmer sa suprématie en Europe. Pour cela, il lui faut faire la guerre à ses voisins. La guerre de Dévolution (1667-1668), qu'il mène contre l'Espagne, donne la Flandre à la France, tandis que la guerre de Hollande (1672-1678), contre la république protestante des Pays-Bas, se termine par l'annexion de la Franche-Comté. À partir de 1678, Louis XIV change de tactique et s'engage dans la politique dite des " réunions " : il annexe des territoires étrangers en pleine période de paix. En 1688, presque tous les États protestants européens décident de s'allier contre la France : c'est la guerre de la Ligue d'Augsbourg qui durera neuf ans.

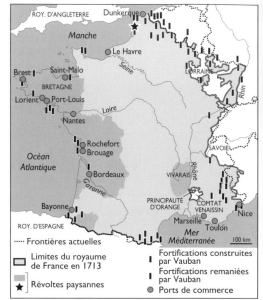

ROY. D'ANGLETERRE — Dunkerque
Manche
Le Havre
Seine
LORRAINE
Brest
Saint-Malo
BRETAGNE
Lorient — Port-Louis
Loire
Rhin
Nantes
Rochefort
Brouage
SAVOIE
Océan Atlantique
Bordeaux
VIVARAIS
Rhône
Garonne
PRINCIPAUTÉ D'ORANGE
COMTAT VENAISSIN
Bayonne
Nice
ROY. D'ESPAGNE
Marseille
Toulon
Mer Méditerranée
100 km

····· Frontières actuelles
☐ Limites du royaume de France en 1713
★ Révoltes paysannes
▮ Fortifications construites par Vauban
▮ Fortifications remaniées par Vauban
● Ports de commerce

▮ Louis XIV avec son cheval blanc, au siège de Tournai, en 1667. Le jeune roi n'hésite pas à s'exposer au feu de l'ennemi.

Exilés protestants gagnant la Suisse à travers les petites routes du Jura.

« Un roi, une loi, une foi »

L'absolutisme de Louis XIV s'exerce aussi dans le domaine religieux. Pour lui, l'unité de religion est indispensable à l'unité politique : ne pas partager les croyances du monarque est un crime de lèse-majesté, comme le proclame sa devise : « Un roi, une loi, une foi. » Poursuivant son rêve d'unité religieuse de la France, il va, notamment sous l'influence de son nouveau ministre de la Guerre, Louvois, reprendre les persécutions contre les protestants. En 1685, après plusieurs années de vexations, Louis XIV révoque l'Édit de Nantes accordé en 1598 par Henri IV. Les protestants qui refusent de renoncer à leur religion sont de nouveau persécutés, humiliés, condamnés aux galères. Beaucoup s'exilent en Hollande ou en Prusse.

La guerre de Succession d'Espagne

En 1700, le roi d'Espagne Charles II meurt en laissant le trône au petit-fils de Louis XIV qui règne sous le nom de Philippe V d'Espagne. Après deux siècles de lutte incessante, la France et l'Espagne se retrouvent alliées ! C'est intolérable pour l'Angleterre, l'Autriche et la Hollande. Craignant que ces deux pays ne deviennent trop puissants, elles se coalisent contre la France et l'Espagne et se lancent dans la guerre de Succession d'Espagne, en 1702. Ce conflit, le plus long et le plus terrible du règne de Louis XIV, ne s'achèvera que douze ans plus tard, avec la signature des traités d'Utrecht (1713) et de Rastadt (1714). En 1715, Louis XIV meurt : la France s'est agrandie du Roussillon, de l'Artois, de l'Alsace, de la Flandre et de la Franche-Comté, mais la misère du pays est effroyable. Les guerres incessantes ont vidé les caisses de l'État.

Hécatombe royale

Né en 1710, Louis XV n'est ni le fils ni le petit-fils de Louis XIV, mais son arrière-petit-fils ! En 1711, le Roi-Soleil a en effet perdu son fils, mort de la petite vérole, puis en 1712 son petit-fils, victime de la rougeole, ainsi que le frère du futur Louis XV. Ce dernier est sauvé de justesse grâce aux soins de sa gouvernante qui refuse que les médecins de la cour ne l'approchent tant ils ont la réputation de faire mourir leurs patients !

Canons classiques français (1668). Le modèle est baptisé " Le Solide ".

Le premier empire colonial

Sous Louis XIV, et plus encore au XVIIIe siècle, la France agrandit ses colonies et développe le commerce au long cours. C'est l'âge d'or des compagnies maritimes, chargées d'approvisionner le royaume en produits exotiques. Mais c'est aussi le temps des expéditions scientifiques dans le Pacifique, financées par le roi.

Le commerce colonial français porte aussi bien sur les fourrures du Canada que sur le thé, les épices et les porcelaines d'Extrême-Orient, ainsi que les produits des "Isles" (les Antilles) : canne à sucre, café, cacao, tabac et coton. Un système appelé "exclusif" réserve à la métropole le commerce de ses colonies, qui ont l'obligation de passer par elle pour toutes les transactions. Les plantations antillaises exigeant une main-d'œuvre importante, les colons font venir des esclaves d'Afrique. Des navires quittent l'Europe chargés de marchandises de peu de valeur ; celles-ci sont échangées sur les côtes africaines contre des hommes et des femmes vendus comme esclaves. Puis les bateaux

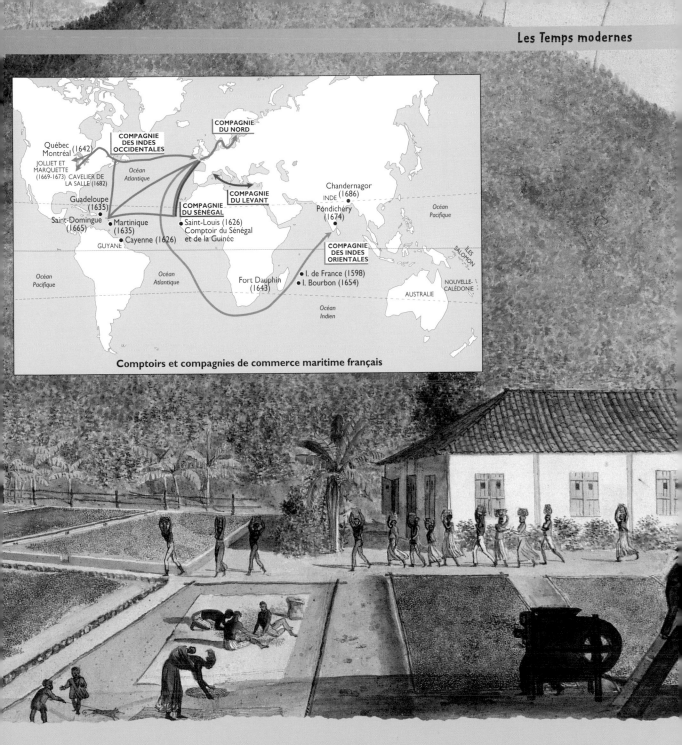

Comptoirs et compagnies de commerce maritime français

négriers les transportent vers les Antilles et l'Amérique où les planteurs les achètent : c'est la traite négrière. Les navires rentrent ensuite vers l'Europe. Ce système, appelé "commerce triangulaire", est très prospère aux XVIIe et XVIIIe siècles.

En 1756, l'Angleterre veut étendre ses possessions américaines et entre en guerre contre les Français. Lors de cette guerre dite de Sept Ans, les batailles se déroulent aussi bien en Europe que dans les colonies. Par le traité de Paris (1763), la France cède le Canada, mais reçoit Saint-Pierre-et-Miquelon, un droit de pêche à Terre-Neuve, et garde les "îles à sucre" des Caraïbes (Guadeloupe, Martinique, Saint-Domingue), ainsi que cinq comptoirs indiens. C'est la fin du premier empire colonial français.

La France de Louis XV

En 1715, Louis XV n'a que cinq ans. Tandis qu'il est élevé au château de Vincennes, son oncle, le duc Philippe d'Orléans assure la régence. Paris redevient le centre du pouvoir et de la vie de cour.

La Régence (1715-1723)

Philippe d'Orléans est un homme intelligent, cultivé et oisif, que Louis XIV n'appréciait guère. Il choisit de revenir à Paris où il mène joyeuse vie. Cette période contraste donc fortement avec l'austérité des dernières années du "Roi-Soleil". Le régent prend pour principal ministre l'abbé Dubois et met en place un gouvernement qui fonctionne grâce à un système de conseils dominés par la haute noblesse.

Le jeune Louis XV, assis sur son trône, est revêtu d'un ample manteau aux fleurs de lys, symboles de la royauté.

La banqueroute de Law

Afin de payer les énormes dettes de Louis XIV, le régent fait appel au banquier écossais John Law. Celui-ci crée une banque qui émet des billets convertibles en or et en argent. Ce système monétaire repose sur le crédit et la confiance. Or en 1720, un vent de panique souffle et tout le monde cherche à se débarrasser de ses billets. Comme Law a émis plus de billets qu'il n'existe réellement d'or et d'argent, c'est la banqueroute… Law doit fuir à l'étranger. On abandonne les billets de papier. Vive les bonnes vieilles pièces métalliques !

Le retour de la prospérité

Philippe d'Orléans meurt en 1723. Bien qu'en âge de gouverner, Louis XV laisse les rênes à son précepteur, le cardinal de Fleury. Cet homme avisé et pacifique confie l'économie à Philibert Orry. Administrateur hors pair, ce dernier réussit l'exploit de rééquilibrer le budget de la France en quinze ans ! Enrichie par le commerce colonial, la France de Louis XV connaît de nouveau la prospérité. Dans les campagnes, l'élevage se développe. Grâce au fumier qui sert d'engrais, les récoltes sont meilleures ; les Français mangent mieux et consomment plus de viande. Les épidémies et les famines se faisant plus rares, la population connaît une forte croissance : elle passe de 22 à 29 millions d'habitants au cours du XVIIIe siècle.

Des inventions prometteuses

À la même époque,
de nouvelles technologies
qui permettent de moderniser
les manufactures voient
le jour. L'invention de la
machine à vapeur rend
possible la création des
premières machines textiles.
Quant aux forges, grâce à
un nouveau procédé, elles
utilisent de plus en plus
le charbon de terre, ou coke,
plutôt que le charbon de bois.
Grâce à ces inventions,
la production augmente ;
propriétaires et commerçants,
le plus souvent des bourgeois,
s'enrichissent. Les transports
bougent aussi : Cugnot
imagine le "fardier" à vapeur,
ancêtre de l'automobile,
et les premières montgolfières
s'élèveront bientôt dans les airs.

Les frères de Montgolfier travaillent des
années à mettre au point un ballon en
toile qui s'élève dans les airs grâce à la
combustion de paille et de laine placées
dans la nacelle. Le premier lâcher public
a lieu en 1783.

Louis XV à la bataille de Fontenoy, le 11 mai 1745.

L'adieu aux colonies

Cette prospérité est menacée par une succession de mauvaises
récoltes, entre 1738 et 1740, et par le retour des guerres. En 1740,
Louis XV engage la France dans la guerre de Succession
d'Autriche. Les troupes françaises remportent une grande
victoire à Fontenoy (1745). Mais au moment de signer la paix,
en 1748, Louis XV, pourtant vainqueur, décide… d'abandonner
toutes ses conquêtes à son adversaire ! En Europe, c'est la stupeur
et bientôt on se moque du roi de France qui, dit-on, « travaille pour
le roi de Prusse » ! Huit ans plus tard, c'est la désastreuse guerre
de Sept Ans (1756-1763) qui oppose la France aux autres pays
européens, notamment à l'Angleterre. Avec la signature du traité
de Paris, en 1763, la France perd la plupart de ses colonies
d'Amérique du Nord, des Antilles et des Indes. Pour relever
le pays, Louis XV fait appel à Choiseul, qui réorganise la marine
et achète aux Génois l'île de Corse. La France se relève. Louis XV
meurt en 1774, après un règne de cinquante-neuf ans.

La guerre en dentelle

« Messieurs des gardes françaises, tirez.
– Messieurs, après vous. Tirez les premiers. »
L'échange de politesses qui eut lieu entre lord Charles Hay,
capitaine anglais, et le comte d'Auteroche à la bataille
de Fontenoy est resté célèbre. On a beau faire la guerre,
on n'en oublie pas pour autant les bonnes manières
même si la mort est au bout du mousquet !

Le siècle des Lumières

Sous le règne de Louis XV, des penseurs critiquent la société et réfléchissent sur ce qui pourrait apporter le bonheur à tous les hommes. Ils réclament plus de liberté dans tous les domaines. Ces idées nouvelles passionnent leurs contemporains.

Le culte de la Raison

Les hommes du XVIIIe siècle se passionnent pour la science et la technique. Ils observent et décortiquent la réalité pour comprendre comment elle est faite (*ci-contre, un naturaliste donnant une leçon*). Ils aiment les raisonnements logiques. Les penseurs se mettent donc à étudier les croyances religieuses et les lois et coutumes de la même façon. C'est ainsi que certains commencent à douter de l'existence de Dieu, alors que d'autres remettent en question le principe de la monarchie absolue. Ces savants se donnent le nom de philosophes, c'est-à-dire les "amis de la sagesse". Leurs idées nouvelles apportent un autre éclairage sur le monde, d'où le nom de "siècle des Lumières".

Faire le bonheur des hommes

Voltaire, Jean-Jacques Rousseau, Charles de Montesquieu, Denis Diderot (*ci-contre*) et d'autres philosophes sont persuadés que, dans un monde organisé selon la raison, un monde où régneraient la liberté du travail et celle de la presse, ainsi que l'égalité de tous les Français devant l'impôt et devant la loi, les hommes seraient enfin heureux. Faire le bonheur des hommes en développant leur intelligence, en leur faisant connaître leurs droits et en les libérant de toutes les oppressions, devient ainsi la mission des philosophes.

Une bourgeoisie en quête de reconnaisance

Les opinions des écrivains et philosophes sont exposées
dans les journaux, les livres et discutées dans les salons (*ci-dessus*)
ou les cafés, des lieux très fréquentés par la bourgeoisie. Formé par les
marchands, fabricants, avocats, etc., c'est alors le groupe le plus dynamique
de la société. Les bourgeois adhèrent avec enthousiasme aux idées des
Lumières car ils considèrent que leur situation sociale est bloquée et doit
changer. Leur activité économique est souvent gênée par des règlements
anciens, tel le maintien de douanes à l'intérieur du royaume. Et surtout,
ils aspirent à une plus grande reconnaissance de leurs mérites et
supportent de moins en moins les privilèges accordés aux nobles
en raison de leur naissance.

La "réaction nobiliaire"

Or, c'est l'inverse qui se produit. Car à la fin du
XVIIIe siècle, les nobles voient leur niveau de vie
baisser. Leurs revenus, essentiellement agricoles,
ne suffisent plus. Cependant, au lieu de
moderniser l'agriculture pour obtenir de meilleurs
rendements, ils se contentent de rechercher
dans leurs archives d'anciens privilèges et droits
féodaux qui étaient tombés dans l'oubli et qu'ils
imposent aux paysans. On appelle cette pratique
la "réaction nobiliaire". Évidemment, les paysans
sont très mécontents et leurs relations avec
les seigneurs se tendent.

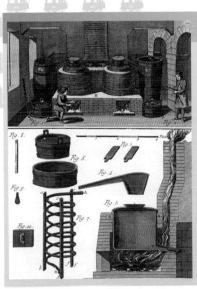

« L'Encyclopédie », un succès fou

Ce dictionnaire des sciences,
des arts et des lettres comporte
35 volumes, dont onze composés
de planches décorées de dessins.
60 000 articles font le point sur
tous les métiers et techniques de
l'époque, mais aussi sur les idées
des philosophes. Le maître
d'œuvre de cette aventure est
Denis Diderot, aidé par près de
250 collaborateurs. L'ouvrage
est cher et seule une certaine élite
peut l'acquérir. Néanmoins,
des adaptations bon marché sont
réalisées et connaissent un très
grand succès.

Louis XVI et la crise de la monarchie

Quand il monte sur le trône, Louis XVI désire soulager les souffrances du peuple. Mais le jeune roi ne sait pas profiter de la prospérité pour lancer les réformes qui s'imposent.

Réformes : le rendez-vous manqué

Petit-fils de Louis XV, le souverain est un jeune homme honnête, mais mou et indécis. Soucieux d'améliorer le sort du peuple, il confie le gouvernement à de bons ministres – Turgot, Necker, Calonne et Loménie de Brienne –, à qui il demande de rétablir les finances du pays et d'étudier les réformes nécessaires pour rendre plus juste et plus efficace le système fiscal. Mais face à l'opposition des privilégiés, le roi n'a pas le courage de résister. Il cède à la pression des courtisans et de sa femme, Marie-Antoinette, qui le pressent de renvoyer ces ministres sans qu'ils aient pu appliquer la moindre réforme. Alors qu'une crise économique frappe la France depuis 1778, l'État continue de taxer lourdement les catégories les moins favorisées de la société. La récolte désastreuse de 1788 va être la goutte qui fait déborder le vase…

Louis XVI au début de son règne.

Les cahiers de doléances

Au début de l'année 1789, tous les Français rédigent des cahiers de doléances que défendront leurs députés aux États généraux (*voir p.109*). Dans ces recueils de plaintes, ils réclament la limitation du pouvoir du roi et des intendants par une constitution et une meilleure justice. Mais surtout, le tiers état demande l'égalité devant l'impôt et l'emploi. Les paysans réclament la suppression des droits seigneuriaux, tel le droit de chasse (qui leur interdit de tuer les animaux nuisibles) et les banalités (qui les obligent à utiliser les fours, moulins et pressoirs du seigneur).

Les Français et l'indépendance américaine

Le règne de Louis XVI est aussi marqué par la participation de la France à la guerre d'Indépendance américaine (1776-1783). En 1775, les treize colonies anglaises de la côte Est de l'Amérique du Nord qui veulent leur indépendance demandent à la France de les aider dans leur lutte contre l'Angleterre. La Fayette et quelques nobles français partent combattre aux côtés des colons révoltés. Vaincue, l'Angleterre signe en 1783 le traité de Versailles, par lequel elle reconnaît l'indépendance des États-Unis et restitue certaines colonies prises à la France en 1763. Mais cette guerre coûte très cher à la France et augmente la dette de l'État.

La prise de la Bastille

Afin de pouvoir disperser l'Assemblée et contrôler la capitale, Louis XVI concentre des troupes autour de Paris. Le 14 juillet, inquiet pour sa sécurité, le peuple pille les Invalides, s'empare de 30 000 fusils et de 12 canons, puis marche sur la Bastille pour y trouver des munitions. À 13 h 30, l'assaut est donné à cette vaste forteresse encadrée de huit tours hautes de 25 m. À 17 heures, le gouverneur de Launay capitule ; il est massacré et sa tête promenée au bout d'une pique.

« Vive le Roi ! Vive la Nation ! »

Pour trouver de l'argent, Necker propose de soumettre à l'impôt la noblesse et le clergé. Le 5 mai 1789, Louis XVI convoque donc à Versailles les États généraux, une assemblée de députés des trois ordres (la noblesse, le clergé et le tiers état, c'est-à-dire tous les autres) pour prendre leur avis. Le 17 juin 1789, le tiers état déclare qu'il représente les "96/100e" de la nation et se proclame Assemblée nationale. En utilisant le mot "nation", ses membres montrent qu'ils se sentent unis par une langue, un passé et des traditions communes. Réunis dans la salle du Jeu de paume, ils invitent les représentants de l'Église et de la noblesse à se joindre à eux et jurent de ne pas se séparer avant d'avoir donné une constitution à la France. Louis XVI renvoie Necker. Furieux, le peuple de Paris s'empare, le 14 juillet 1789, de la Bastille, une prison d'État qui symbolise le pouvoir absolu du roi. Pour calmer les passions, Louis XVI rappelle Necker et se rend à l'Hôtel de Ville où il apparaît à une fenêtre avec une cocarde tricolore accrochée à son chapeau. Il est alors salué aux cris de « Vive le Roi ! Vive la Nation ! ». Le peuple aime encore son roi…

Le serment du Jeu de paume : les représentants du peuple et de la bourgeoisie se proclament "Assemblée nationale".

La Révolution en marche

L'agitation de Paris se communique à la province, où de nombreux paysans se révoltent contre leurs seigneurs et incendient les châteaux. C'est la "Grande Peur". Août 1789 sonne le glas de l'Ancien Régime.

L'abolition de la féodalité et des privilèges

Pour calmer la situation, dans la nuit du 4 août 1789, la noblesse et le clergé renoncent à tous leurs droits féodaux. Le 26 août, la *Déclaration des droits de l'homme et du citoyen* proclame les grands principes de la Révolution : liberté et égalité des citoyens, souveraineté de la nation (ce n'est plus le roi mais le peuple qui exerce l'autorité suprême par l'intermédiaire de représentants qu'il choisit). Un grand nombre de nobles préfèrent s'exiler. Deux ans plus tard, dans la soirée du 20 juin 1791, Louis XVI quitte Paris en secret avec sa famille pour rejoindre les armées étrangères et émigrées qui stationnent aux frontières. Mais il est intercepté à Varennes-sur-Argonne, le 22 juin, et ramené à Paris.

Les volontaires s'engagent pour défendre la France, envahie par les armées prussiennes et autrichiennes.

La chute du roi

L'Assemblée n'ose pas encore l'emprisonner, mais le roi a perdu tout prestige et toute autorité. Le 20 avril 1792, l'Assemblée déclare la guerre à l'Autriche. Le 11 juillet elle décrète "la Patrie en danger". C'est alors qu'un chef prussien, le duc de Brunswick, adresse à la France une lettre dans laquelle il écrit que Paris sera rasé si l'on menace la vie de Louis XVI ou celle de la famille royale. La réponse du peuple ne se fait pas attendre : le 10 août 1792, il envahit les Tuileries et force le gouvernement à proclamer la déchéance du souverain. Celui-ci est enfermé dans la prison du Temple. En septembre 1792, les armées ennemies pénètrent en France. Des milliers de volontaires affluent pour les repousser et le 20 septembre 1792, les armées françaises remportent une grande victoire à Valmy.

Le paysan n'est plus écrasé par la noblesse et le clergé.

Un chant pour la patrie

Dans la nuit du 25 au 26 avril 1792, Claude-Joseph Rouget de Lisle compose à Strasbourg le "Chant de guerre pour l'armée du Rhin". Ce chant, entonné par des troupes venues de Marseille lors de l'insurrection des Tuileries, le 10 août 1792, devient vite populaire sous le nom de "Marseillaise". Son succès est tel qu'il est déclaré chant national le 14 juillet 1795. En 1879, la IIIᵉ République en fait son hymne national.

Les sans-culottes

Artisans, apprentis ou petits commerçants vivant dans les faubourgs des villes, les "sans-culottes" sont des citoyens favorables à l'égalité, qui détestent le roi et les "riches à culottes de soie". D'où leur nom. Ils ont un costume particulier, se tutoient et signent "ton égal en droits". Ils réclament que le prix du pain et des aliments indispensables soit fixe et souhaitent que tous les "traîtres à la Patrie" soient exécutés.

La monarchie est morte, vive la République !

Au lendemain de la victoire de Valmy, une nouvelle Assemblée se réunit : la Convention. Le 22 septembre 1792, elle proclame l'abolition de la monarchie et la naissance de la République. Les armées françaises, victorieuses des Autrichiens à Jemmapes, sur la frontière nord-est, s'emparent des Pays-Bas autrichiens (l'actuelle Belgique). Accusé de trahison, Louis XVI est jugé et guillotiné le 21 janvier 1793. Sa mort soulève l'Europe entière contre la France. L'Angleterre, la Hollande et l'Espagne rejoignent la coalition formée par la Prusse et l'Autriche : toutes les frontières françaises sont menacées en même temps. La Convention décrète la "levée en masse" de 300 000 hommes, sorte de service militaire obligatoire.
Ces soldats de la République parviennent à repousser les armées coalisées en 1793 et 1794.

L'exécution de Louis XVI, guillotiné sur l'actuelle place de la Concorde, à Paris, le 21 janvier 1793. Les députés de la Convention l'ont accusé de «conspiration contre la liberté publique» et de haute-trahison et condamné à mort par 387 voix contre 334. Ses derniers mots furent : «Peuple, je meurs innocent ! Je pardonne aux auteurs de ma mort.»

République et Terreur

En 1793, la Convention est divisée entre deux grands partis : les Girondins, qui souhaitent une République modérée, et les Montagnards, ou Jacobins, qui veulent une révolution plus radicale.

Les périls intérieurs

À la guerre sur les frontières s'ajoute une grave guerre civile à l'intérieur du pays. En mars 1793, la Vendée, menée par des chefs catholiques et royalistes, refuse l'enrôlement obligatoire dans l'armée et se soulève contre la République. L'absence de troupes régulières, affectées aux frontières, facilite la progression des insurgés qui s'emparent de Cholet et de Saumur en juin 1793. Une partie de la Provence se soulève aussi contre la dictature des Montagnards. Le mois suivant, Marat, chef du parti montagnard aux côtés de Robespierre et de Danton, est assassiné dans sa baignoire par une jeune royaliste, Charlotte Corday. Guillotinée, celle-ci devient le martyr de la Contre-Révolution qui s'oppose au pouvoir en place.

Robespierre et Saint-Just conduits à l'échafaud, le 10 thermidor an II.

La Terreur (10 octobre 1793–27 juillet 1794)

Pour lutter contre la menace contre-révolutionnaire, la Convention crée, sous l'autorité de Robespierre, le Comité de salut public, chargé de gouverner, et le Tribunal révolutionnaire, chargé de condamner à mort tous les ennemis de la République. Commence alors la période dite de la "Terreur", durant laquelle toutes les libertés sont suspendues par un régime qui instaure une véritable dictature. La reine Marie-Antoinette, Danton et la plupart des Girondins sont guillotinés. Même les exécutions de Montagnards se multiplient, souvent sans motif. À la Convention, tous ceux qui craignent pour leur vie se regroupent et, le 9 thermidor an II (soit le 27 juillet 1794, *voir encadré p. 113*), ils empêchent Robespierre de parler à la tribune. Condamné à mort, celui-ci est guillotiné le lendemain avec Saint-Just. La Terreur est terminée.

Charlotte Corday venant d'assassiner Marat (13 juillet 1793).

L'appel des condamnés dans une prison révolutionnaire sous la Terreur. Au centre le poète André Chénier, perdu dans ses pensées.

Les projets en herbe de la Convention

La Convention ne se contente pas d'envoyer des gens à la guillotine. Ses dirigeants se préoccupent aussi, malgré la tourmente ambiante, de l'organisation de la France. Ils travaillent à la rédaction d'un code civil unique, retirent la tenue des registres d'état civil aux curés, instaurent le mariage civil et le divorce, proclament l'émancipation des esclaves des colonies… La Convention se penche plus particulièrement sur la question de l'éducation du peuple car, selon Danton, « l'intruction est le premier besoin après le pain ». C'est ainsi qu'en octobre 1795, sous l'impulsion d'hommes comme Condorcet ou Lakanal, une loi prévoit la création d'une école par canton, gratuite pour les plus pauvres. Tout cela ne verra le jour que plus tard.

La Terreur en chiffres

Combien la Terreur a-t-elle fait de victimes ? Les tribunaux prononcent environ 17 000 condamnations à mort, auxquelles il faut ajouter les personnes exécutées sans procès et celles mortes en prison, ce qui porte le total à 40 000 morts environ. L'aristocratie est la plus touchée, mais de nombreux petits commerçants, paysans et domestiques sont également condamnés. Les victimes sont plus nombreuses en Vendée, dans le Maine-et-Loire, le Rhône et à Paris.

Un calendrier révolutionnaire

La Convention ne veut plus d'un calendrier religieux, aussi charge-t-elle François Fabre d'Églantine d'en inventer un. L'an I débute le 22 septembre 1792, la semaine est portée à dix jours, le mois à trente. Et bien sûr le nom des jours et des mois change : lundi se dit *primidi* et le mois de pluviôse correspond en partie au mois de janvier. Le peuple n'apprécie guère la nouveauté : désormais on ne se repose plus que tous les dix jours !

Buste de Maximilien Robespierre par Claude-André Deseine. Un buste similaire ornait la salle de séance des Jacobins.

Au temps des Incroyables

La bourgeoisie républicaine met fin à la Terreur et instaure un nouveau régime politique, le Directoire. La France respire à nouveau et les jeunes las de l'austérité révolutionnaire, lancent des modes extravagantes.

Le Directoire (1795-1799)

Après la peur et les privations, les riches recherchent le plaisir. À Paris, les bals et les fêtes se succèdent. La constitution de l'an III (*voir encadré p. 113*) est adoptée le 27 octobre 1795 et le nouveau gouvernement prend le nom de Directoire : cinq Directeurs dirigent le pays, tandis que deux conseils, élus uniquement par les citoyens qui paient des impôts, élaborent et votent les lois. Le Directoire hérite d'une situation politique, économique et militaire désastreuse. Il doit lutter à la fois contre une opposition royaliste qui provoque des insurrections comme celle du 13 vendémiaire (5 octobre 1795), et contre une opposition populaire. Le régime doit affronter trois coups d'État en un an !

C'est sous le **Directoire** que le système des poids et mesures est enfin uniformisé : jusqu'ici chaque province, voire chaque ville, avait le sien. Mètres, grammes, litres sont désormais valables pour tous.

Incroyables et Merveilleuses dansant la valse, une mode importée d'Allemagne.

Les Incroyables

La jeunesse dorée, opposée à la Révolution, adopte une mode fantaisiste qui rappelle l'Ancien Régime : immenses cravates, souliers pointus, bas rayés. Ces jeunes ne sortent pas sans un bâton ferré qu'ils utilisent contre les Jacobins, les "Jacoquins". Tous adoptent un jargon pittoresque et ne prononcent ni "R" ni "L" ! Les femmes sont quant à elles vêtues à l'antique de robes transparentes.

Le "petit Corse"

Né le 15 août 1769 à Ajaccio, Napoléon Bonaparte sort en 1786 de l'École militaire de Paris comme sous-lieutenant d'artillerie. Durant l'été 1793, Bonaparte, qui a lu les philosophes des Lumières, se rallie aux Montagnards. Devenu suspect après la chute de Robespierre en raison de l'amitié qui le lie au frère de ce dernier, il est arrêté. Son avenir semble compromis jusqu'à ce que le général en chef de l'armée de l'intérieur, Barras, fasse appel à lui pour réprimer le soulèvement royaliste du 13 vendémiaire. En sauvant le Directoire, il a sauvé sa carrière !

Le 18 brumaire, Bonaparte est hué par les députés du conseil des Cinq-Cents qui ne veulent pas modifier la Constitution. Il est sauvé par son frère Lucien, président de l'Assemblée, qui fait évacuer la salle. La Constitution est révisée au petit matin par quelques députés, réunis de force.

L'irrésistible ascension de Bonaparte

Comme l'Angleterre et l'Autriche sont toujours en guerre contre la France, le Directoire décide de lancer trois armées sur l'Autriche. Le jeune Bonaparte prend la tête de l'armée d'Italie et passe par la vallée du Pô, en Italie, pour marcher ensuite sur Vienne. Il remporte plusieurs batailles dont celles de Lodi, d'Arcole et de Rivoli. Effrayé par la vitesse avec laquelle les Français se rapprochent de Vienne, l'empereur d'Autriche demande la paix qui est signée à Campo-Formio, en 1797. Ce traité donne à la France toute la rive gauche du Rhin. Reste l'Angleterre. Bonaparte pense que s'il s'empare de l'Égypte, il pourra couper les routes commerciales anglaises vers ses colonies des Indes. Le Directoire accepte avec enthousiasme ce plan qui permet d'éloigner un militaire devenu un peu trop populaire… Bonaparte gagne donc l'Égypte avec une armée, mais aussi des savants chargés d'étudier le pays. Il remporte une brillante victoire aux Pyramides et s'empare du Caire.

L'homme providentiel

Tandis que Bonaparte remporte des victoires en Égypte, le Directoire gouverne de plus en plus mal et se révèle être un régime corrompu. Informé de la situation catastrophique, Bonaparte confie à Kléber l'armée d'Égypte et revient à Paris où il est accueilli comme un sauveur par Joseph Sieyès, l'un des cinq Directeurs, persuadé qu'il faut un dictateur pour sauver la République. Sous prétexte d'un complot royaliste, les députés sont contraints de réviser la Constitution le 18 brumaire an VIII (9 novembre 1799) et de donner le pouvoir à trois consuls : nos deux complices et Roger Ducos…

De Bonaparte à Napoléon

Après le coup d'État du 18 brumaire, Bonaparte est déclaré Premier consul de la République. En 1800, il bat les Autrichiens et signe, deux ans plus tard, la paix d'Amiens avec les Anglais. Pour la première fois depuis dix ans, la France est en paix avec tous ses voisins.

Un socle de granit pour la France

Pour Napoléon Bonaparte, la société française est fragile. Afin de la stabiliser, il décide de construire un socle solide d'institutions. L'administration est réorganisée et des préfets sont placés à la tête des départements pour appliquer les ordres du Premier consul. La Banque de France est créée et, en 1803, le franc est fixé à une valeur de 5 g d'argent : c'est le franc germinal. Pour réconcilier les Français, Bonaparte rappelle les émigrés et rétablit la paix religieuse, mais il exige que l'Église obéisse à l'État, ce qu'il obtient par le Concordat, en 1801. En mai 1802, Bonaparte crée l'ordre de la Légion d'honneur (*médaille ci-contre*) pour récompenser les citoyens méritants, ainsi que des lycées pour former officiers et fonctionnaires. En mars 1804, le Code civil confirme l'abolition des privilèges, consacre le droit de propriété et renforce l'autorité du père et celle du patron.

La "petite histoire" du sacre

Le 2 décembre 1804, Napoléon est sacré empereur à Notre-Dame. Lorsque le pape Pie VII veut le couronner, Napoléon s'empare de la couronne, se tourne vers l'assemblée et la pose lui-même sur sa tête. Ce geste est symbolique : il indique qu'il n'a pas besoin de l'Église pour devenir empereur. Napoléon couronne ensuite Joséphine agenouillée devant lui. Dans son tableau intitulé *Le Couronnement*, le peintre David n'a pas hésité à tricher avec la vérité historique en représentant la mère de l'empereur au centre du tableau alors que celle-ci avait refusé d'assister à la cérémonie, persuadée qu'elle porterait malheur à son fils !

La guerre

La paix ne dure pas longtemps. Dès 1805, l'Angleterre organise une coalition qui regroupe les Russes, le royaume de Naples et les Autrichiens, inquiets de la place grandissante de la France en Europe : la Hollande, la Suisse et les États du nord de l'Italie, occupés depuis 1795-1797, ne sont-ils pas désormais des républiques dépendant de la France ? Ils lui déclarent donc la guerre. Napoléon réplique en franchissant le Rhin à la tête de la Grande Armée. Le 2 décembre 1805, les Français remportent sur les armées austro-russes une grande victoire à Austerlitz. La troisième coalition a vécu. En 1806, pour affaiblir l'Angleterre, l'Empereur ferme tous les ports du continent aux navires anglais. C'est le Blocus continental : les marchandises en provenance ou à destination de l'Angleterre sont saisies ou détruites. Mais grâce à la supériorité de sa flotte, l'ennemi inverse la situation et interdit à son tour à tout navire de commercer avec la France et ses alliés !

Vue d'une sucrerie au XIXᵉ siècle. Le Blocus encourage la création de ces usines où l'on extrait du sucre de la pulpe des betteraves.

Une main de fer

Fort de sa popularité, Napoléon se fait sacrer empereur le 2 décembre 1804. Le régime devient de plus en plus monarchique : Napoléon Iᵉʳ épouse en secondes noces Marie-Louise, archiduchesse d'Autriche, pour avoir un héritier ; une vie de cour fastueuse se développe et l'empereur crée même une nouvelle noblesse. L'Empire devient vite autoritaire : les libertés sont limitées, la presse et le théâtre sont surveillés et la censure rétablie.

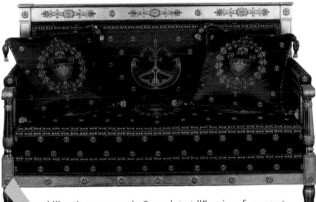

Le mobilier change sous le Consulat et l'Empire : formes et décors s'inspirent de l'Antiquité ; des étoffes raffinées, bleu intense, vert pâle, violet, parme ou chamois, habillent des bois précieux aux lignes très épurées.

Un vent de modernité

La guerre n'empêche pas la croissance économique, au contraire. Café, cacao, sucre venant à manquer en raison du Blocus continental, le gouvernement encourage dans les campagnes des cultures nouvelles comme la pomme de terre ou la betterave, qui peut fournir du sucre. Dans le monde rural, le niveau de vie s'améliore. L'époque napoléonienne est un temps de prospérité.

L'Empire en guerre

Pour imposer le Blocus économique à l'Angleterre, Napoléon décide d'envahir l'Espagne et le Portugal où l'armée bientôt s'enlise. Cette erreur va lui coûter cher…

Portugais et Espagnols, théoriquement alliés de la France, font semblant d'appliquer le Blocus. Mécontent, Napoléon envoie le maréchal Junot conquérir le Portugal en 1807 et oblige le roi d'Espagne Charles IV, puis son fils, à abdiquer en 1808. Aussitôt les Espagnols se révoltent, soutenus par les Anglais. Joseph Bonaparte, placé sur le trône par son frère, doit se replier vers la frontière française. Napoléon arrive en renfort, à la tête de la Grande Armée, et reconquiert Madrid. Mais la guerre va continuer jusqu'en 1814 et user les forces de l'armée française. De son côté, l'Autriche, qui a réussi à reconstituer ses armées, attaque en avril 1809 la Bavière, alliée de la France. Napoléon réagit et

obtient la paix après de terribles batailles – Essling et Wagram. En 1812, la Russie, asphyxiée par le Blocus, ouvre ses ports aux Anglais. L'Empereur lance alors près d'un million d'hommes sur le territoire russe, remporte la victoire de la Moskova et entre dans Moscou. Pourtant, les Russes ne se rendent pas et, l'hiver venant, Napoléon préfère rentrer en France. La retraite est terrible : plus de 500 000 hommes meurent ou sont faits prisonniers.

En mars 1813, les pays européens se liguent de nouveau contre la France, bientôt rejoints par l'Autriche. Malgré de brillants succès, Napoléon est contraint d'abdiquer en 1814 et de partir en exil pour l'île d'Elbe.

La monarchie est de retour

N apoléon exilé à Elbe, c'est l'un des frères de Louis XVI que l'on remet sur le trône en avril 1814 : Louis XVIII. Celui-ci donne à la France une constitution qu'il préfère nommer Charte.

Louis XVIII et les Cent Jours

Cette Charte reconnaît les acquis de la Révolution, comme l'égalité des droits ou la liberté de culte, et le pouvoir du roi est limité par une assemblée élue. Cependant les émigrés royalistes fraîchement rentrés se comportent en conquérants. Rapidement, le régime devient impopulaire et le peuple espère le retour de l'Empereur. Le 1er mars 1815, Napoléon débarque secrètement à Golfe-Juan, dans le Var, et revient à Paris. Il va régner cent jours. Anglais, Russes, Prussiens et Autrichiens ne l'entendent pas ainsi et s'unissent contre lui. L'affrontement a lieu en Belgique, où les Français sont battus à Waterloo. Cette fois, Napoléon est exilé au milieu de l'Atlantique Sud, sur l'île de Sainte-Hélène où il meurt le 5 mai 1821. Louis XVIII de retour, les royalistes se livrent à une seconde Terreur contre les hommes de la Révolution que l'on appelle la "Terreur Blanche", par allusion au drapeau blanc de la royauté.

Caricature de Charles X en girafe menée par le bout du nez par le clergé.

Charles X l'impopulaire

À la mort de Louis XVIII, en 1824, c'est le troisième frère de Louis XVI qui devient roi sous le nom de Charles X. Il veut restaurer la monarchie de droit divin. Son mépris pour les idées de la Révolution, son ignorance des évolutions de la société et sa politique autoritaire le rendent très vite impopulaire. Les libéraux, c'est-à-dire les défenseurs des principes de 1789, résistent. Charles X décide alors de dissoudre la Chambre des députés. C'est l'étincelle qui déclenche la révolution de juillet 1830.

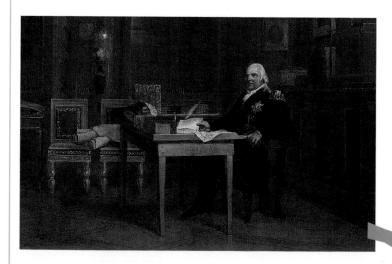

Louis XVIII dans son cabinet de travail.

Les "Trois Glorieuses"

Durant les journées des 27, 28 et 29 juillet, ouvriers, bourgeois et étudiants se battent dans Paris contre les troupes royales.
Le drapeau tricolore flotte à nouveau sur la France. Charles X finit par abdiquer et part en exil.
Le 30 juillet, les libéraux donnent au duc d'Orléans, Louis-Philippe, un cousin de Charles X, le titre de lieutenant général du royaume. Neuf jours plus tard, le 9 août 1830, celui-ci est proclamé "roi des Français".

Louis-Philippe, acclamé devant l'Hôtel de Ville de Paris. On le choisit pour empêcher les républicains de revenir au pouvoir, ce qui attirerait à la France l'hostilité du reste de l'Europe.

L'expédition d'Alger

Depuis le Directoire, la France avait une dette envers Alger : une fourniture de blé restait impayée. En évoquant ce sujet, le 29 avril 1827, le dey Hussein s'énerve et frappe le consul français de son chasse-mouches ! Offusqués, les Français lancent une expédition punitive. Le 14 juin 1830, 37 000 hommes débarquent et le 5 juillet, le dey Hussein capitule. Toutefois, les tribus algériennes refusent de se soumettre. La conquête de l'Algérie commence…

La monarchie de Juillet

Ami des libéraux, Louis-Philippe a, dans sa jeunesse, combattu dans les armées de la République.
Le nouveau roi gouverne avec la bourgeoisie, ce qui lui vaut le surnom de "roi bourgeois". Il s'appuie successivement sur trois grands ministres : Auguste Casimir-Perier, Adolphe Thiers et François Guizot qui, en 1833, fait voter une loi organisant l'instruction primaire ; chaque commune doit avoir une école primaire et chaque département, une école pour former les instituteurs. Mais en 1846-1847, la France subit une grave crise économique : les récoltes sont mauvaises, le prix des grains augmente, des entreprises font faillite et le chômage accroît la misère. Dans le même temps, les républicains demandent l'abandon du suffrage censitaire (seuls les citoyens qui paient des impôts peuvent voter). Le gouvernement refuse. Les républicains de Paris décident alors de se réunir lors d'un grand banquet afin de discuter des moyens pour le faire céder. Mais Louis-Philippe interdit ce banquet. C'est le point de départ de la révolution de 1848. Le roi doit abdiquer et part en exil.
Le 24 février 1848, la IIe République est proclamée.

Romantisme et République

La révolution de 1848 est portée par un élan de générosité et d'enthousiasme tout à fait exceptionnel. Les hommes qui l'animent font partie d'une nouvelle génération : le romantisme.

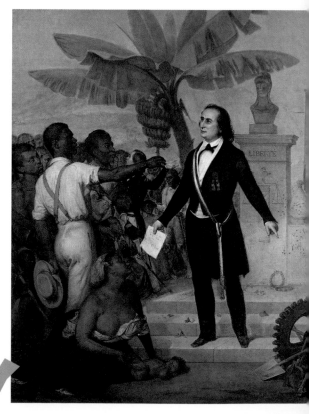

Mélancolie, solitude de l'homme et grandeur de la nature : trois notions très romantiques qu'exprime bien le peintre Ary Scheffer dans ce tableau.

La France romantique

Né en Angleterre et en Allemagne à la fin du XVIIIe siècle, le romantisme est d'abord un courant artistique. Volontiers provocateurs, les artistes qui s'en réclament refusent l'art officiel classique, privilégient les sentiments et trouvent souvent leur inspiration dans la nature ou dans un Moyen Âge fantastique. Cette nouvelle sensibilité gagne la France entre 1820 et 1848 avec Delacroix et Géricault en peinture, Hugo, Musset et Lamartine en littérature. Beaucoup, tel Victor Hugo, soutiennent les combats des peuples pour leur liberté.

L'heure des réformes

Ce sont ces intellectuels parisiens et ces écrivains romantiques, guidés par Victor Hugo et Alphonse de Lamartine, qui animent le mouvement de mécontentement populaire contre Louis-Philippe. Lorsque la Seconde République est proclamée, le 24 février 1848, les onze membres du gouvernement sont choisis parmi les hommes les plus populaires de l'époque. On y trouve des républicains modérés comme Lamartine, Arago ou Ledru-Rollin, et des candidats plus radicaux, tel le socialiste Louis Blanc. L'heure est aux réformes : le suffrage universel (tous les citoyens adultes et mâles ont le droit de voter) est institué le 2 mars 1848 ; le droit au travail est proclamé et la journée en usine est limitée à dix heures ; la peine de mort est abolie pour les délits politiques ; la liberté totale de presse et de réunion est accordée. Enfin, Victor Schœlcher fait abolir l'esclavage aux colonies.

Les esclaves de l'île de la Réunion apprennent leur émancipation : ce sont désormais des hommes libres grâce à la République.

Épisode de la révolution de 1848. Un insurgé blessé écrit sur un mur avec son sang : «Vive la République.»

La révolution de 1848

Pour garantir le droit au travail proclamé au printemps 1848, des "ateliers nationaux" sont créés. Ce sont en réalité des ateliers de charité qui occupent à des travaux de terrassement les chômeurs de Paris, puis ceux de province qui affluent bientôt vers la capitale. Très vite, l'argent manque pour payer ces hommes et les ateliers deviennent des foyers d'agitation révolutionnaire. On doit les fermer et la misère augmente. Les ouvriers se révoltent, la guerre civile reprend. Pendant quatre jours, du 23 au 26 juin 1848, on se bat dans Paris, mais l'armée force les insurgés à se rendre.

Homme portant sur le dos un fagot, par Jean-François Millet.

Le temps du réalisme

L'échec de la révolution de 1848 stoppe net le mouvement romantique. Lui succède un courant artistique appelé "réalisme", représenté par des artistes comme Flaubert, Millet, Courbet ou Daumier. Ceux-ci puisent leur inspiration dans la vie quotidienne et décrivent les gestes simples des paysans et des ouvriers. Le grand public juge souvent vulgaires et de mauvais goût ces œuvres qui dépeignent les défauts et les vices de leur époque. Ces artistes ne tardent donc pas à devenir dangereux aux yeux de la bourgeoisie et des notables.

Le Second Empire

Le 10 décembre 1848, la nation vote pour élire un président. Le prince Louis-Napoléon Bonaparte, neveu de Napoléon Ier, est élu président de la République. Le 2 décembre 1851, il fait un coup d'État et dissout l'Assemblée nationale.

De l'Empire autoritaire à l'Empire libéral

En 1852, le président de la République, Louis-Napoléon, fait accepter par référendum une constitution qui rétablit l'Empire. Le 2 décembre, un an jour pour jour après son coup d'État, il se fait proclamer empereur sous le nom de Napoléon III. Il faut attendre huit ans pour voir l'Empire devenir plus libéral : Napoléon III cherche alors à calmer les opposants libéraux et les ouvriers en leur accordant le droit de grève. En 1867-1868 de nouvelles mesures libérales sont adoptées : le pouvoir des députés est étendu, la liberté de la presse accrue et le droit de réunion n'est plus limité.

Napoléon III en costume d'officier général, portant le grand cordon de la Légion d'Honneur en sautoir.

La ligne Paris-Rouen en 1845. Avec le développement du chemin de fer de gros ouvrages sont réalisés : viaducs et tunnels modifient le paysage français.

La nouvelle modernité française

Sous le règne de Napoléon III, la France est prospère. Le commerce et l'industrie connaissent un grand développement, dû surtout aux chemins de fer qui s'implantent un peu partout. L'agriculture est encouragée, l'utilisation des engrais se généralise. La vie des ouvriers s'améliore. Des hospices et des orphelinats sont également créés. Le ministre Victor Duruy multiplie les écoles primaires et organise des cours pour les adultes ; des bibliothèques de prêt gratuit sont ouvertes pour le peuple. Enfin, le canal de Suez, percé sous la direction de Ferdinand de Lesseps, est inauguré en 1860 par l'impératrice Eugénie.

Bombardement de la ville de Kehl lors du siège de Strasbourg, en 1870.

Une politique extérieure belliqueuse

« L'Empire, c'est la paix ! » avait déclaré le prince-président Louis-Napoléon avant son avènement pour tranquilliser l'Europe. Paroles en l'air, car durant son règne la guerre est presque continue. De 1854 à 1856, l'Angleterre et la France s'engagent dans la guerre de Crimée contre la Russie pour empêcher les Russes de prendre Constantinople. En 1859, la France triomphe de l'Autriche au cours de la guerre d'Italie et reçoit Nice et la Savoie en 1860. La même année, à la suite de la guerre de Chine, les Français prennent le contrôle de l'Indochine. Puis, de 1863 à 1866, ils entreprennent la guerre du Mexique…

La guerre impériale

Enfin, le 19 juillet 1870, dans le but d'empêcher la Prusse de réaliser autour d'elle l'unité de l'Allemagne, Napoléon III lui déclare la guerre. Guillaume Ier et le chancelier Bismarck se préparent depuis longtemps à cet affrontement, alors que la France n'est pas prête. Inférieures en nombre, mal commandées et mal approvisionnées, les armées françaises subissent des revers et l'Alsace et la Lorraine sont envahies. Parti délivrer l'armée française enfermée dans Metz, Napoléon III est battu à Sedan. Il décide alors de se constituer prisonnier. Sa déchéance est proclamée le 4 septembre 1870.

Paris fait peau neuve

Napoléon III confie au baron Haussmann la mission de moderniser la capitale. Les quartiers anciens du centre de Paris sont démolis, 600 km de rues nouvelles, droites et larges, sont ouverts. Les trottoirs se multiplient et l'éclairage au gaz se généralise. Quelque 25 000 demeures vétustes laissent la place à des immeubles modernes en pierre de taille. L'Opéra, la gare d'Orsay et les Halles centrales, dotés d'armatures métalliques, sont édifiés. Pour oxygéner la ville, les parcs des Buttes Chaumont et de Montsouris sont créés et le bois de Boulogne rénové.

La France bourgeoise

Sous le Second Empire, bourgeois, banquiers et entrepreneurs se lancent dans l'aventure industrielle et modernisent le pays. Ils soutiennent le régime, fréquentent la cour et dirigent la vie politique. Avec les fonctionnaires, les commerçants, les médecins et les avocats, ils forment la France des notables, une France conservatrice.

La bourgeoisie industrielle

Soutenue par l'État, la grande bourgeoisie investit dans d'immenses usines de textile, de sidérurgie et de constructions mécaniques. Symboles de l'économie nouvelle, les Expositions universelles de 1855 et 1867 (*ci-dessous*) font connaître les produits nouveaux. La puissance de la bourgeoisie vient de son pouvoir économique. Par les emplois et les richesses qu'elles créent, certaines familles dominent des régions entières. C'est le cas des patrons du textile du nord et de l'est de la France, comme les Dollfus à Mulhouse, ou les Wendel en Lorraine. Ces hommes dirigent la vie politique française en se faisant élire maires, députés ou sénateurs. Attachés aux valeurs qu'ils considèrent comme essentielles – le travail, la religion, la famille –, ces patrons traitent leurs ouvriers comme un père traite ses enfants : ils prennent en charge l'éducation des jeunes, les soins de santé, mais exigent en retour que les familles assistent à la messe. C'est ce qu'on appelle le paternalisme.

Le temps des banquiers

Pour industrialiser la France, il faut rassembler de l'argent et l'investir dans des entreprises. C'est ainsi que sont créées les premières banques de dépôt comme le Crédit Lyonnais et les premières sociétés anonymes (plusieurs personnes mettent de l'argent dans un projet commun et possèdent en contrepartie des parts ou "actions" de l'entreprise). Les banquiers forment un milieu très fermé. Certains financent les industries, tels les Rothschild ou les Pereire (*ci-dessus*) qui investissent dans les chemins de fer ou les transports urbains et maritimes.

Le développement de l'hygiène

À partir du XIXᵉ siècle, les médecins et l'État encouragent le développement des pratiques de propreté et d'hygiène. On s'intéresse à l'installation et à l'entretien des égouts (*ci-contre*) et à l'alimentation des villes en eau potable. Le canal de l'Ourcq, destiné à alimenter Paris en eau potable, est achevé en 1822, mais l'eau courante qui arrive aux robinets du rez-de-chaussée monte encore rarement les étages. À la campagne, les municipalités installent peu à peu des lavoirs, des fontaines communales, des abattoirs municipaux et des fosses d'aisances.

La révolution industrielle

Dotée désormais de structures modernes, l'économie française prospère dans tous les domaines, grâce en particulier à la machine à vapeur et au développement des chemins de fer qui forment bientôt un vaste réseau dont le centre est Paris. Ce sont les débuts de la deuxième révolution industrielle qui atteint son apogée dans les années 1880. L'État développe aussi les compagnies maritimes et modernise les ports. Le commerce vers les pays étrangers triple sous l'Empire et les techniques commerciales évoluent : les foires perdent de leur importance et le commerce de détail est concurrencé par des grands magasins (*ci-contre*), comme le Bon Marché, le Printemps ou la Samaritaine à Paris.

Un monde à part

La bourgeoisie est une classe sociale fermée. Les mariages se font à l'intérieur d'un même milieu social. Les enfants sont envoyés dans les meilleures écoles. Dans les villes se créent des quartiers bourgeois où l'habitat est luxueux et confortable. Le nombre des domestiques est un signe de réussite, de même que la richesse des vêtements. Le bourgeois prend part à la vie culturelle, il fréquente les musées, les salles de concerts et de spectacles. En été, les familles les plus fortunées se retrouvent à Deauville et à Trouville pour des bains de mer : ce sont les débuts du tourisme.

La France laborieuse

Sous le règne de Napoléon III, la France se transforme en profondeur. Si les campagnes et l'artisanat n'évoluent guère, la grande industrie voit apparaître une nouvelle classe sociale, celle des ouvriers.

Un artisanat archaïque

Pendant tout le XIXᵉ siècle et une bonne partie du XXᵉ siècle, l'artisanat reste important en France, de même que les travailleurs à domicile, souvent surexploités, tels les "canuts" lyonnais qui tissent la soie chez eux, en famille. Un marchand-fabricant, le "soyeux", fournit l'équipement et la matière première, et les rémunère à l'ouvrage. Le canut est démuni face à son fournisseur et vit souvent dans une très grande misère.

La lente évolution des campagnes

Les conditions de vie évoluent peu à la campagne où vivent encore les deux tiers des Français. Les gros fermiers, peu nombreux, profitent des progrès techniques et de l'élargissement des marchés commerciaux. Les plus pauvres n'ont pas de terres et louent leurs bras de ferme en ferme : ce sont les ouvriers agricoles (*ci-dessous*).

Les débuts du socialisme

Au début des années 1830, le mot "socialisme" apparaît en France. Il désigne une pensée politique prônant une société plus juste, où les richesses soient plus équitablement partagées. Certains socialistes sont appelés utopiques, tel Fourier, qui imagine un État composé de communes rurales et industrielles, organisées comme des ruches, et où chacun produirait et consommerait comme il veut. D'autres suivent les idées d'un penseur allemand, Karl Marx, pour qui les ouvriers doivent conquérir par la force le pouvoir et la maîtrise des outils de production : usines, fermes, etc. Cette pensée donne naissance à un mouvement international ouvrier.

La naissance de l'usine

La grande industrie, qui apparaît d'abord dans la production textile puis dans la métallurgie, s'installe dans les bassins houillers et autour des villes où elle trouve des débouchés, des banques et des communications faciles. La main-d'œuvre abondante est constituée souvent de paysans obligés de quitter leur terre, d'artisans sans travail, ou d'immigrés. Le travail en usine est mécanisé ; cela permet d'augmenter la productivité et de baisser le prix des produits : ainsi, celui de l'acier diminue de 90 % et le coût des rails français est réduit de moitié entre 1850 et 1880.

Les débuts du syndicalisme

Jusqu'en 1864, la loi Le Chapelier (1791) interdit aux ouvriers de s'associer. Lorsque des grèves violentes éclatent, elles sont souvent réprimées brutalement par l'armée. Cependant, peu à peu, les ouvriers s'organisent en associations pour défendre leurs intérêts professionnels : ce sont les syndicats. Les grèves sont alors mieux préparées et les syndicats ouvriers obtiennent la limitation des horaires, des salaires plus élevés et de meilleures conditions de travail.

La condition ouvrière

Sur leurs machines, les ouvriers effectuent des gestes répétitifs ; les journées de travail sont longues, pouvant dépasser 12 heures, sans jour de repos hebdomadaire ni congé annuel. Le travail est fatigant, les accidents nombreux. Les salaires des hommes sont généralement peu élevés et ceux des femmes trois fois moins importants. Quant aux enfants qui travaillent en usine, ils sont souvent payés à la journée une bouchée de pain. L'avenir d'une famille ouvrière est toujours menacé par le chômage et la maladie. Lorsque peu à peu les usines quittent les villes, faute de place, les ouvriers sont relogés dans les banlieues. Quartiers et cités ouvrières (*ci-contre*) voient ainsi le jour.

La France contemporaine

De 1870 à nos jours, la France connaît une période fort agitée : trois guerres et la succession de quatre régimes politiques ! Ces événements s'accompagnent d'une révolution bien plus profonde encore : la lente marche vers la modernité. Le pays s'ouvre et s'adapte aux grandes découvertes techniques et scientifiques qui bouleversent le monde occidental. La France rurale d'autrefois devient un grand pays urbain, ouvert sur le monde.

Les débuts de la République

Le 4 septembre 1870, en pleine guerre, le peuple parisien proclame la IIIe République. Mais en ces temps de tourmente, l'avenir du régime semble bien loin d'être assuré…

La paix forcée

Dès la disparition du Second Empire, un gouvernement provisoire républicain, comptant dans ses rangs d'ardents patriotes comme Léon Gambetta, organise la résistance contre les Prussiens. Cependant, rien ne peut empêcher la défaite et Paris tombe en janvier 1871. Les Allemands ne voulant négocier qu'avec un gouvernement élu, des élections nationales sont organisées. Les partisans de la monarchie, favorables à la paix, l'emportent.

Pour quitter Paris assiégé et aller chercher du renfort, Léon Gambetta s'envole en ballon, à la barbe des Prussiens !

Thiers aux affaires

La nouvelle Assemblée nomme à la tête du gouvernement Adolphe Thiers, un conservateur à la forte personnalité. Celui-ci s'empresse de signer la paix afin que les troupes ennemies quittent le territoire. Le prix à payer est lourd : la France perd l'Alsace-Lorraine et doit s'acquitter d'une énorme indemnité de guerre. Redoutant une rébellion de la part des Parisiens, hostiles à cette paix, Thiers décide de désarmer la capitale. Il échoue : la ville se révolte et se donne un gouvernement révolutionnaire, la Commune (*voir encadré*). Thiers n'hésite pas : il écrase l'insurrection dans le sang. La paix revenue, les Prussiens repartent en 1873. L'Assemblée, toujours hostile aux principes républicains que le chef du gouvernement souhaite imposer, le contraint à démissionner la même année.

Caricature royaliste de 1872 mettant en scène les deux camps républicains : la République conservatrice de Thiers, une matrone tricolore, affronte une furie révolutionnaire.

Le drame de la Commune

Paris, ville républicaine de cœur, ne voit pas d'un bon œil l'élection d'une Assemblée monarchiste et conservatrice par le reste du pays. Lorsque Thiers désarme les gardes nationaux qui ont défendu la cité lors du siège, c'en est trop ! Le peuple parisien se révolte et nomme son propre gouvernement, la Commune. Ses partisans veulent changer la société et soulager les plus pauvres. Pour éviter que la guerre civile ne gagne tout le pays, Thiers agit très brutalement. En mai 1871, lors de la " Semaine sanglante ", il écrase la Commune en envoyant l'armée : 20 000 personnes sont exécutées et 13 000 déportées en Algérie et en Nouvelle-Calédonie.

La constitution de 1875

Thiers est remplacé par le maréchal Mac-Mahon, favorable au rétablissement de la monarchie, mais le comte de Chambord, pressenti pour devenir roi, renonce au dernier moment. La République l'emporte ! Des lois constitutionnelles, votées en 1875, la confortent et ses partisans triomphent lors des élections de l'année suivante. Mac-Mahon doit bientôt s'en aller. Désormais, les républicains ont les coudées franches.

Jules Ferry au pouvoir

Jules Ferry, homme de progrès, engage le pays dans de grandes réformes : il décrète la liberté de la presse, étend les libertés publiques (on peut tenir une réunion publique, fonder un journal ou un syndicat sans autorisation), rend obligatoire, laïque et gratuite l'école primaire (*voir p. 134*), et lance des expéditions pour coloniser l'Afrique et l'Indochine. Certains républicains n'approuvent pas cette politique et lui reprochent d'oublier la reconquête de l'Alsace-Lorraine. Un général républicain très populaire, Boulanger, en profite et devient le chef d'une coalition de mécontents, partisans d'un homme fort au pouvoir. Heureusement, les républicains se ressaisissent et le neutralisent. Et en 1889, lors de l'Exposition universelle, la République offre au monde un formidable symbole de prospérité et de progrès : la tour Eiffel.

La **tour Eiffel** illuminée, en 1889.

L'initiative en revient principalement à Jules Ferry, soucieux de retirer au clergé catholique la formation de la jeunesse (jusqu'ici la majorité des écoles étaient tenues par des religieux) et de réduire l'importance du catéchisme. Entre 1881 et 1882 plusieurs lois rendent non seulement l'enseignement primaire obligatoire pour tous les enfants âgés de 6 à 13 ans, mais le rendent aussi laïc, c'est-à-dire éloigné des préoccupations religieuses. Les instituteurs sont désormais les seuls à pouvoir enseigner dans les établissements publics. Véritables porte-parole de la République, ils s'opposent désormais aux curés dans les villages. Leur rôle est non seulement d'apprendre à lire, à écrire et à calculer à tous les enfants,

L'école républicaine

Dans un pays où les inégalités sont criantes, l'instauration, au début des années 1880, d'un enseignement primaire obligatoire, laïc et gratuit constitue une révolution.

mais aussi de leur enseigner une morale civique et l'amour de la patrie à travers des ouvrages tels que *Le Tour de France de deux enfants* de G. Bruno, qui déplore la perte de l'Alsace-Lorraine. Pour unifier la nation, tous les cours se font en français, les langues régionales et les patois étant interdits en classe. Enfin, la gratuité de l'école primaire permet d'offrir une chance aux plus humbles. Les élèves les plus doués sont soutenus pour continuer leurs études et grimper l'échelle sociale. De 1880 à 1900, quelque 6,3 millions d'élèves passent ainsi par les bancs des écoles primaires. En 1914, grâce à l'école républicaine, pour la première fois, la quasi-totalité de la population peut parler français.

La République face aux tempêtes

En 1890, la IIIᵉ République est définitivement installée. Les grandes crises qui la secouent pendant les dix années à venir ne remettent pas en cause son existence. Cependant, les républicains sont désormais divisés.

Les modérés au pouvoir

En 1887, le temps des grandes réformes connaît une pause : une nouvelle génération d'hommes, soucieux d'apaiser la querelle autour de la religion, accède au pouvoir. Les radicaux sont écartés. Plus ancrés à gauche, ces derniers, tel Georges Clemenceau, ne veulent pas que l'État continue à financer l'Église, jugée hostile à la République, et rêvent de créer un impôt sur le revenu qui permettrait une redistribution des richesses aux plus modestes en prenant un peu aux plus riches.

Le scandale de Panamá

Les modérés doivent cependant faire face à des scandales financiers qui raniment les passions. L'affaire la plus grave est celle de Panamá : un industriel, Ferdinand de Lesseps, après avoir brillamment réussi la construction du canal de Suez, se lance dans celle du canal de Panamá. Pour obtenir le vote d'une loi favorable à son projet, il paie en secret des députés. Toutefois sa société fait faillite et le scandale éclate en 1892. Nombre d'hommes politiques, discrédités, doivent laisser la place à de plus jeunes, comme Raymond Poincaré.

Le canal construit à travers l'isthme de Panamá permet de relier les océans Pacifique et Atlantique.

La rage de lire

À partir des années 1880, les journaux connaissent un âge d'or et publient des feuilletons pour retenir leur public. Les enfants aussi ont leurs magazines, telle *La Semaine de Suzette*. Chaque semaine, ils y découvrent un nouvel épisode d'un roman de Jules Verne ou de la comtesse de Ségur. À partir de 1905, des héros de bande dessinée comme Bécassine ou les Pieds Nickelés y font leur apparition.

Marianne, qui incarne la République, reste pensive devant l'affaire Dreyfus qui divise la France (*ci-contre*). Innocent, Alfred Dreyfus est réhabilité par l'armée en 1906 (*ci-dessous*).

Querelles et attentats meurtriers

La même année, la France doit faire face à plusieurs attentats commis par des anarchistes. Ces révolutionnaires, souvent étrangers, contestent l'autorité de l'État et s'en prennent à ses représentants, tel le président Sadi Carnot qu'ils assassinent en 1894. Cette année-là, une grave crise, liée aux sentiments antisémites de l'époque, s'abat sur le pays : l'affaire Dreyfus (*voir encadré*). La France est coupée en deux : à droite, nationalistes, monarchistes et catholiques prennent le parti de l'armée et proclament leur goût de l'autorité, voire leur refus de la démocratie ; à gauche, radicaux, socialistes et protestants défendent l'accusé et se font les avocats d'un régime qui respecte les droits de l'homme. Relayés par la presse, les deux camps s'affrontent avec une violence verbale inouïe. Le sentiment que la République est en danger pousse les radicaux et les socialistes à s'unir au Parlement. En 1902, ils obtiennent presque la majorité. Le temps des modérés est passé, la France devient radicale…

LA FRANCE.. Ça devrait bien être une bonne fois tout blanc ou tout noir.

L'affaire Dreyfus

En 1894, un officier de confession juive, Alfred Dreyfus, est soupçonné d'espionnage au profit de l'Allemagne. Il est condamné par la justice militaire à la déportation à vie au bagne de Cayenne (en Guyane). Convaincues de son innocence et persuadées que sa condamnation tient uniquement à sa religion, des personnalités, tel l'écrivain Émile Zola, militent pour la révision de son procès. Le jugement est cassé en 1898, mais Dreyfus n'est réintégré dans l'armée qu'en 1906.

La Belle Époque

En 1900, une nouvelle Exposition universelle est organisée à Paris. Elle marque le début d'une époque d'insouciance et de prospérité et le triomphe de nouvelles technologies.

La fée Électricité

De 1875 à 1914, une révolution industrielle et scientifique bouleverse en profondeur le visage de la France.

Avec l'invention de la dynamo, en 1872, puis des lignes électriques, le pays entre dans l'ère de l'électricité à laquelle l'Exposition consacre un palais entier (*ci-dessous*).

Dans les usines, la machine à vapeur est remplacée peu à peu par cette nouvelle énergie. Les premiers réseaux de distribution permettent de supprimer dans la rue l'éclairage au gaz et d'alimenter métros et tramways. Toutes ces nouveautés persuadent les Français que le progrès technique est synonyme de civilisation.

Sons et images déferlent

Le domaine de l'image et du son est en pleine ébullition avec l'avènement du cinéma (la première projection publique se déroule à Paris, à l'initiative des frères Lumière, en 1895), mais aussi de l'appareil photographique fonctionnant avec un rouleau de film, du gramophone, du téléphone (700 000 abonnés en 1900), de la télégraphie sans fil, apparue en 1896, ainsi que de la radiographie. La médecine, à l'initiative de Pasteur, fait également d'immenses progrès dans la lutte contre les maladies infectieuses, avec la mise au point de vaccins.

Le métropolitain

Le développement du métropolitain, symbole de modernité et véritable révolution dans les modes de vie des Parisiens, apporte une solution aux encombrements sans cesse plus importants dans la capitale. Sous la direction de Fulgence Bienvenüe, les travaux de ce train souterrain, mû par la fée Électricité, débutent en 1898. La première ligne est inaugurée en 1900.

Le goût de la vitesse

Une innovation technologique,
l'invention du moteur à explosion, entraîne une véritable révolution dans
les transports : l'automobile prend son essor et va bientôt permettre aux
chevaux de prendre une retraite bien méritée. La France devient le centre
mondial de cette industrie, considérée au départ comme un sport pour
les plus fortunés. Certains privilégiés se lancent dans l'aventure : le comte
de Dion invente des moteurs, Louis Renault des automobiles au système
de transmission novateur, les Peugeot, fabricants de moulins à café,
se lancent dans le cycle, et les Michelin, spécialisés dans les produits du
caoutchouc, dans la fabrication de pneus. Vapeur, essence ou électricité,
la question n'est pas encore tranchée et chaque solution a ses partisans.

Rire à la folie

Dès les années 1880, de nouveaux
lieux de distraction apparaissent :
les cabarets, où l'on vient écouter
un chanteur de variétés, et les
music-halls aux spectacles endiablés.
Le théâtre est tout aussi léger :
Feydeau et Courteline concoctent
des vaudevilles aux innombrables
rebondissements. On n'avait pas
autant ri depuis Molière !

L'aviation décolle

L'invention du moteur
à explosion profite aussi
à l'aviation. Clément Ader
fait voler le premier "avion"
– le terme est de lui – en 1890.
Tout comme l'automobile,
l'aviation se développe
dans l'ouest de Paris :
Renault, Santos-Dumont,
Henri Farman, Louis Blériot
– qui vingt ans plus tard
traversera la Manche –
y ont leurs ateliers où
ils améliorent sans cesse
moteurs et carlingues.

Taylorisme et condition ouvrière

L'industrie ne se contente pas
de changer d'énergie, elle adopte
également de nouvelles
méthodes dans le but de
produire plus et plus vite.
À l'initiative de l'Américain
Taylor, la division du travail
trouve des adeptes : on
sépare les tâches dans une
chaîne de travail où chaque
ouvrier est chargé d'un poste
précis ; il répète ainsi le même
geste pendant toute
la journée.

Les artistes font la révolution

La science, par ricochet, bouleverse le regard des peintres à la fin du XIXe siècle. À leur tour, les artistes font voler en éclats les conventions issues de la Renaissance et inventent une nouvelle façon de représenter le monde.

Les impressionnistes

En mai 1874, se tient dans les ateliers du photographe Nadar une exposition qui fait scandale. On y découvre l'œuvre de jeunes peintres indépendants, parmi lesquels figurent Claude Monet (*ci-contre, Bassin aux nymphéas*), Pierre-Auguste Renoir, Eugène Boudin et Alfred Sisley. Tous peignent en plein air et cherchent à rendre l'effet que produisent les variations de la lumière sur les éléments. Pour ce faire, ils décomposent les tons. Par petites touches, ils suggèrent formes et volumes au détriment du dessin et du détail. Il s'agit pour eux de retranscrire une sensation immédiate. Appliquant les théories du chimiste Eugène Chevreul, ils se limitent aux couleurs primaires (rouge, bleu et jaune) et à leurs complémentaires (orangé, violet et vert), dont la juxtaposition sur la toile permet de rendre toutes les vibrations de l'atmosphère.

Le néo-impressionnisme

Quelques années plus tard, prolongeant l'œuvre des impressionnistes, de jeunes peintres, tels Paul Signac et H.-E. Cross (*ci-contre, Après-midi à Pardigon*), cherchent une méthode moins intuitive pour diviser les tons. Georges Seurat en est le chef de file. Après avoir dévoré nombre de traités scientifiques, il comprend que la couleur est le résultat d'un mélange optique qui s'opère sur la rétine et qu'elle est affectée par les couleurs voisines que saisit l'œil. Aussi décide-t-il de ne plus utiliser des teintes mélangées, mais des couleurs pures et de les fixer sur la toile en touches séparées. C'est l'œil du spectateur qui recompose la scène.

Le fauvisme

Les fauves, incarnés, entre autres, par André Derain, Maurice de Vlaminck, Albert Marquet, Raoul Dufy, Georges Braque, Kees Van Dongen et Henri Matisse (*ci-contre, Intérieur, bocal de poissons rouges*), leur chef de file incontesté, rejettent en 1905 la palette impressionniste pour les couleurs pures et vives qu'utilisaient déjà Paul Gauguin et Vincent Van Gogh. La couleur devient arbitraire et ne cherche plus à imiter la réalité. Chez certains, des contours épais permettent de cerner les formes. Ce mouvement rencontre un vif succès en Allemagne.

Le cubisme

En 1907, le cubisme, un mouvement plus radical encore, voit le jour avec les recherches de Georges Braque et Pablo Picasso. Albert Gleizes (*ci-contre, L'Éditeur Eugène Figuière*) en fait partie mais aussi Robert Delaunay, Henri Le Fauconnier, Fernand Léger, Juan Gris. Pour eux, la réalité d'un objet ne peut être saisie qu'en montrant des points de vue multiples et simultanés. L'objet est donc fragmenté en facettes, emboîtées les unes dans les autres, et offre plusieurs angles de vision en même temps.

Cézanne le solitaire

Comme Vincent Van Gogh ou Toulouse-Lautrec, Paul Cézanne est un solitaire, en marge des grands courants. Mais son œuvre, peu connue de son vivant, a influencé profondément la génération suivante, celle des cubistes. Plutôt que l'apparence du moment, il cherche à fixer la pesanteur des choses. En bouleversant les lois traditionnelles de la perspective, il reconstruit l'espace et cherche à traiter la nature à l'aide de quelques formes : le cylindre, la sphère et le cône. Chaque tache de couleur est pensée et calculée ; leur disposition et leur orientation servent à rendre la structure de l'objet, les volumes et les plans. Cela donne des paysages géométriques, très structurés (*ci-dessus, la Mer à L'Estaque*).

Les radicaux aux commandes

Cette vague de modernité ne doit pas faire illusion : en 1900, la société française est encore très traditionnelle et inégalitaire. Le début du siècle est ainsi marqué par des affrontements sociaux fort violents.

La séparation de l'Église et de l'État

Sitôt arrivés au pouvoir, les radicaux s'empressent de mettre en œuvre, avec la loi du 9 décembre 1905, la séparation de l'Église et de l'État qu'ils prônent depuis toujours. À l'initiative du président du Conseil, Émile Combes, et au nom des principes qui leur sont chers, ils décident de ne plus accorder d'aide financière à aucun culte religieux, mettant fin au Concordat signé sous Napoléon Ier avec le pape. Les ministres des cultes ne seront plus rémunérés par l'État et les biens de l'Église deviennent la propriété des communes. Cette politique suscite de violentes réactions parmi les catholiques et elle est condamnée par le Vatican.

La société de la Belle Époque

Cette société est en proie à une crise grave. Malgré une réelle prospérité, la France manque de dynamisme : elle ne compte qu'un peu plus de 39 millions d'habitants en 1914, alors que l'Allemagne en a 67 millions. En 1913, le nombre de naissances y est même inférieur à celui des décès. Le pays est encore fortement rural, même si chaque année les besoins en main-d'œuvre ouvrière drainent vers les villes plus de 100 000 personnes. Enfin, la société française reste très inégalitaire : tandis que 20 à 25 % des Français vivent de leurs rentes, sans avoir à travailler, 6,2 millions d'ouvriers connaissent des journées de travail de 12 heures, avec un seul jour chômé et aucune protection sociale (pas d'assurance maladie ni de retraite)…

Ouvrières au travail : de longues journées pour un salaire de misère.

Élégantes fortunées partant en promenade dans leur automobile.

Les ouvriers se réveillent

Tout ceci explique l'explosion d'une forte agitation sociale au début du siècle. Le mouvement ouvrier, écrasé lors de la Commune, s'est réorganisé. Pour défendre leurs droits (salaire minimum, repos hebdomadaire, journée de 8 heures), les ouvriers adhèrent de plus en plus nombreux à des syndicats, réunis en 1894 au sein de la CGT (Confédération générale du travail). En 1906, les révolutionnaires deviennent majoritaires : ils souhaitent déstabiliser l'État en recourant à la grève générale, voire au sabotage. Les mineurs, les électriciens, les fonctionnaires ainsi que les viticulteurs organisent de grandes grèves, souvent violentes. Clemenceau, le chef du gouvernement, envoie l'armée pour rétablir l'ordre. Les socialistes ne peuvent accepter une telle répression et cessent de soutenir les radicaux en 1907.

Bouleversé par la répression contre les grévistes, Jean Jaurès, républicain, se convertit au socialisme.

Deux enfants alsaciens pensent aux morts de 1870.

Les socialistes s'unissent

Jusqu'alors, les socialistes français étaient très divisés. Une partie, comme la Fédération des travailleurs socialistes de France, dirigée par Paul Brousse, entendait lutter en employant des moyens légaux pour changer la société en douceur. Une autre, dont le Parti ouvrier socialiste français de Jules Guesde, prônait la révolution et partageait les idées de Karl Marx (*voir p. 128*). En 1905, les deux mouvements s'unissent et forment la SFIO (Section française de l'Internationale ouvrière). La doctrine de Marx devient l'unique référence, même si Jean Jaurès tente de défendre le socialisme à la française. Le parti se prononce contre l'armée et la guerre.

L'obsession de la revanche

La Belle Époque connaît une succession de crises diplomatiques très graves avec l'Allemagne. Le terrain d'affrontement est le Maroc où les Allemands tentent d'empêcher la France d'agrandir ses possessions. Pour les Français, le véritable enjeu est ailleurs : laver l'affront subi pendant la guerre de 1870 et récupérer l'Alsace-Lorraine. Pour s'en donner les moyens, les gouvernements qui se succèdent créent, en 1905, un service militaire obligatoire de deux ans, qui passe à trois ans en 1913. Le pays, allié de la Russie et de la Grande-Bretagne face à l'Allemagne et à l'Autriche-Hongrie, s'arme. La guerre apparaît de plus en plus inévitable.

À la tête d'un empire colonial

En août 1914, lorsque débute la Première Guerre mondiale, la France possède un immense empire colonial : 10,6 millions de km² à travers presque tous les continents.

Une affaire de prestige

Cette aventure a véritablement commencé au lendemain du désastre de 1870. Des républicains, comme Léon Gambetta et Jules Ferry, ont alors estimé que la conquête de nouvelles terres était un moyen de redonner une certaine grandeur à la France et de compenser la perte de l'Alsace-Lorraine. La possession de nombreux territoires, disséminés aussi bien en Afrique qu'en Indochine, en Amérique du Sud, aux Antilles et dans le Pacifique, constitue donc d'abord une question de prestige. L'aspect économique à cette époque est secondaire et sert surtout à justifier les opérations : après avoir envoyé des troupes en Tunisie et au Tonkin, Jules Ferry essaie de convaincre les parlementaires que ces colonies vont permettre d'approvisionner la métropole en matières premières et offrir de nouveaux débouchés commerciaux. Pourtant, hormis les militaires, les marins, les missionnaires et les négociants, l'affaire ne passionne guère les Français.

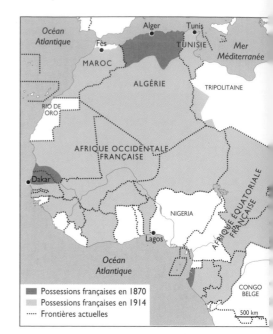

Légende de la carte d'Afrique :
- Possessions françaises en 1870
- Possessions françaises en 1914
- Frontières actuelles
- 500 km

Légende de la carte d'Indochine :
- Frontières actuelles
- Région occupée avant 1870
- Région occupée en 1873
- Région occupée en 1883-1885
- Région occupée après 1885
- 100 km

Colon à Madagascar. La conquête de cette île commence en 1885.

Des hommes qui n'ont pas froid aux yeux

Qu'ils soient civils ou militaires, les hommes qui agrandissent l'empire colonial français sont animés par une même foi civilisatrice, un goût pour l'exploration et un patriotisme sincère. Parmi les plus remarquables de ces colonisateurs figurent Savorgnan de Brazza qui apporte le Congo à la France ; Gentil qui explore l'Oubangui et le Chari, en Centre-Afrique ; Francis Garnier puis Rivière qui combattent au Tonkin et en Annam ; Marchand qui s'avance jusqu'au Nil et Lyautey qui conquiert le Maroc.

L'idée coloniale fait son chemin

La plupart des partis politiques et des industriels y sont même hostiles : « Pas un sou pour les colonies ! » Leur principal argument est que cette aventure coûte bien trop cher en ressources militaires et financières et qu'elle détourne la France de la reconquête de l'Alsace-Lorraine. Il faut attendre les années 1890 pour que l'opinion change. L'hostilité fait place à une bienveillante indifférence. L'expansion reprend alors : en Afrique de l'Ouest, le Soudan, le Togo puis le Dahomey sont conquis, ainsi que Madagascar. Dans cette expansion, la France rencontre les ambitions du Royaume-Uni (en 1898, à Fachoda) et de l'Allemagne (au Maroc, en 1905 et en 1911). Les nationalistes approuvent, persuadés que l'expansion coloniale freine l'impérialisme allemand et entraîne l'armée en vue de la " Revanche ".

L'Afrique du Nord fait rêver. Le goût de l'exotisme gagne les Français et inspire peintres et publicitaires.

Une source d'enrichissement

« Des colonies soit, mais pas d'argent pour les colonies. » Telle est l'opinion des députés, hantés par une augmentation du budget de l'État. Aussi, contrairement à la Belgique, la France investit peu outre-mer : les colonies doivent financer elles-mêmes leur mise en valeur. L'État cède à de grandes compagnies des concessions minières ou d'immenses plantations ; en Afrique du Nord, on distribue aux colons nombre de terres dites "vacantes" après les avoir enlevées aux indigènes. En 1911, les Français sont 800 000 en Algérie, 45 000 en Tunisie. Seul le Maroc échappe à cette politique grâce à Lyautey qui cherche à éviter que l'installation des colons ne lèse les droits des Marocains.

À Fachoda, au Soudan, deux expéditions se retrouvent face à face. Les Anglais veulent régner sur tout le bassin du Nil, les Français relier Dakar à Djibouti. Sur l'ordre de leur ministre des Affaires étrangères, ces derniers se retirent.

La France en guerre

D'août 1914 à novembre 1918, la France est plongée dans une des guerres les plus dévastatrices qu'elle ait jamais connues. Ces quatre années de conflit vont accélérer son entrée dans le XXe siècle.

Un conflit mondial

L'assassinat, le 28 juin 1914, de l'archiduc d'Autriche-Hongrie, François-Ferdinand, à Sarajevo, provoque la mobilisation de toutes les puissances européennes. Car, par le jeu des alliances, les pays se divisent en deux clans opposés et se doivent assistance : d'un côté, ceux de la Triple Entente – la France, la Russie et le Royaume-Uni –, de l'autre, les empires centraux, soit l'Allemagne et l'Autriche-Hongrie. Chacune des grandes puissances entraîne également derrière elle ses colonies.

La fleur au fusil

Le 3 août 1914, les Français entrent en guerre contre l'Allemagne ; ils sont persuadés que ce sera un conflit de courte durée. Pourtant, très vite, on s'aperçoit que le courage des hommes ne peut rien contre les moyens de combat modernes, tels que les mitrailleuses et l'artillerie. Dès les dernières semaines de l'année 1914, la France s'enfonce dans une guerre qui mobilise toutes les ressources humaines, économiques et financières du pays.

Le soldat français porte encore en 1914 son fameux pantalon rouge, un moyen sûr de se faire repérer par l'ennemi...

Le monde des tranchées : boue, froid, rats et promiscuité.

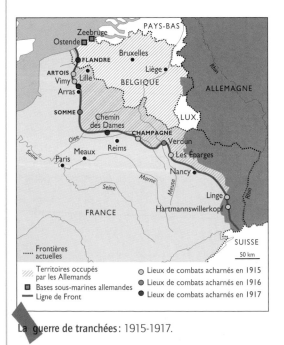

La guerre de tranchées : 1915-1917.

La bataille de Verdun

L'épisode le plus meurtrier de la Grande Guerre est la bataille de Verdun, commencée en février 1916 et achevée en décembre de la même année. Au prix de pertes énormes et d'un courage inouï, l'armée française parvient à arrêter l'offensive allemande à quelques kilomètres de la ville, puis à regagner le terrain perdu. À la fin de ce gigantesque affrontement qui a considérablement usé les forces des deux adversaires, les Français ont perdu près de 250 000 hommes…

Une guerre de tranchées

Bientôt, les armées s'immobilisent derrière des lignes continues de tranchées qui vont de la mer du Nord à la frontière suisse. Les années qui suivent sont marquées par des offensives qui, pour gagner quelques centaines de mètres, coûtent la vie à des milliers d'hommes. L'existence dans les tranchées sera pour tous une expérience traumatisante. Les soldats sont en permanence exposés au bruit des combats, à la saleté, aux rats et aux poux, au spectacle de la mort et des blessures. En 1917, les Russes, entraînés dans la révolution qui se déclare dans leur pays, se retirent de la guerre. Lassée de ses pertes humaines terribles, la France connaît alors une profonde crise qui se traduit par des grèves et des mutineries (révoltes de soldats).

La victoire, enfin !

Grâce à l'entrée en guerre des États-Unis, en avril 1917, et à une mobilisation sans précédent, l'Allemagne est battue et signe l'armistice le 11 novembre 1918. Les Français sortent vainqueurs de la guerre, mais à quel prix ! Environ 1,4 million d'hommes ont perdu la vie sur les champs de bataille ; des millions d'autres ont été blessés, mutilés ou marqués dans leur esprit par l'horreur de ce qu'ils ont vécu au front. Les départements du Nord et de l'Est, dont certains ont été occupés pendant quatre ans, sont dévastés et la France, financièrement ruinée, doit d'énormes sommes empruntées aux États-Unis.

Officier américain réconfortant un jeune Ardennois en 1917.

L'arrière se mobilise

Pendant les quatre années de guerre, la société française change profondément. Le départ de millions de soldats mobilisés contraint les femmes à s'engager dans la vie active. Il s'ensuivra pour elles un mouvement d'émancipation de grande ampleur.

Ohé! les braves gens... VERSEZ VOTRE OR NOUS VERSONS BIEN notre sang...

Sollicité par l'État, tout le pays contribue à l'effort de guerre.

L'État est partout

En raison de la durée et de l'ampleur de la guerre, l'État prend une place plus importante dans la vie du pays. Il se charge notamment d'organiser la mobilisation de toutes les ressources humaines, économiques, financières et industrielles du pays nécessaires à l'effort de guerre. L'État surveille étroitement la presse et n'hésite pas à la censurer pour éviter la publication de mauvaises nouvelles ou d'informations intéressantes pour l'ennemi. À l'inverse, afin de maintenir le moral du pays, il met en place un système de propagande. Par des affiches, les journaux ou la radio, l'État demande aux citoyens de participer à l'effort de guerre et de soutenir les troupes.

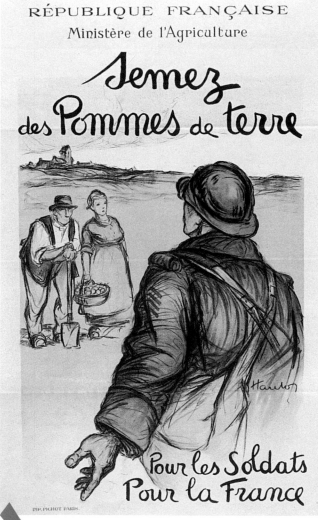

RÉPUBLIQUE FRANÇAISE
Ministère de l'Agriculture

Semez des Pommes de terre

Pour les Soldats Pour la France

IMP. PICHOT PARIS.

Pour assurer le ravitaillement du front, l'État incite les paysans à cultiver des pommes de terre, denrée nourrissante et facile à conserver.

Marraines de guerre

Pour les soldats qui n'ont aucune famille à l'arrière, des associations créent le système des marraines de guerre (des jeunes filles le plus souvent). Les combattants trouvent ainsi quelqu'un à qui écrire et se confier ou encore qui leur envoie des colis. Il en résultera de nombreux mariages après guerre...

Le travail des femmes

Pour assurer le travail des hommes mobilisés, les femmes prennent leur place. Ainsi, alors que les soldats se battent et meurent par dizaines de milliers dans les tranchées, les femmes sont engagées par centaines de milliers dans les usines qui produisent pour l'armée.

Elles y travaillent entre 12 et 14 heures par jour, dimanche compris, tournant des obus, fabriquant des cartouches ou de la poudre ou encore des armes ou des aéroplanes. En 1918, elles sont près de 600 000 à travailler directement pour l'industrie militaire. Cependant les femmes sont aussi présentes dans les administrations, comme la poste ou les écoles (12 000 figurent dans les effectifs), et assurent le bon fonctionnement des transports (métro, tramways, chemin de fer). Enfin, plus de 3,2 millions d'entre elles ont pris la tête des exploitations agricoles pour remplacer les hommes partis au front. Dès lors, les femmes se sont taillé une place dans le monde du travail et leur vie ne sera plus jamais comme avant. C'est une première étape de leur émancipation.

La vie à l'arrière

L'existence des populations civiles est difficile même si le gouvernement verse des allocations aux familles des mobilisés ou des pensions aux veuves de guerre. La vie est chère, surtout dans les villes, et le marché noir (clandestin) fleurit. Le prix du beurre triple, par exemple, en quatre ans et les restrictions touchant les produits de première nécessité (nourriture et chauffage) sont importantes et s'aggravent au fil des années.

Tout droit d'Amérique

L'entrée en guerre des États-Unis entraîne la mobilisation de millions d'hommes qui, dans un grand élan patriotique, viennent se battre en France. Deux cultures se rencontrent dans les villes et les villages par où passent les soldats américains qui amènent avec eux des objets inconnus, tels que le slip, le rasoir mécanique ou la fermeture Éclair. Grâce à eux, les Français découvrent aussi le jazz.

Femmes travaillant dans un atelier d'obus, en 1917.

Les désillusions de l'après-guerre

La France sort de la Première Guerre mondiale meurtrie, dévastée et ruinée. Dans son programme de reconstruction et de redressement, elle compte beaucoup sur les réparations dues par l'Allemagne, qui reste menaçante.

Soldat français surveillant le chargement d'un wagon de charbon de la Ruhr à destination de la France. Après avoir protesté contre l'occupation en faisant grève, mineurs et ouvriers allemands ont dû reprendre le travail. Toutefois les Français redoutent toujours les opérations de sabotage.

L'Allemagne paiera !

L'armistice conclu, les Alliés se réunissent pour imposer à l'Allemagne, accusée d'être responsable de la guerre, un traité d'une grande sévérité, signé à Versailles en juin 1919. Les Allemands sont contraints de payer aux vainqueurs des sommes considérables au titre des "réparations de guerre". Les élections de 1919 portent au pouvoir la Chambre dite bleu horizon (la couleur de l'uniforme français de l'époque), formée en majorité de nationalistes bien décidés à obliger les Allemands à respecter leurs engagements. Mais ceux-ci font traîner les choses et réduisent leurs exportations de charbon vers la France, ce qui handicape la sidérurgie française. Pris à la gorge par les dettes contractées auprès des Américains, les dirigeants français envoient l'armée occuper la Ruhr, la grande région industrielle allemande, le 11 janvier 1923, comme l'autorise le traité en cas de non-paiement. Les Français contrôlent pendant un an usines et mines jusqu'à ce qu'un arrangement soit trouvé.

Le Cartel des gauches

En 1924, les élections sont remportées par le Cartel des gauches constitué de socialistes et de radicaux, soucieux de pratiquer une politique moins dure à l'égard de l'Allemagne et prêts à d'importantes réformes en faveur des classes les moins aisées. Le Cartel inquiète les milieux d'affaires qui ne veulent pas d'une augmentation des impôts. Aussi beaucoup de Français placent-ils leur argent à l'étranger au lieu de l'investir en France, accroissant d'autant la crise financière. Face à l'ampleur de la chute du franc, les dirigeants du Cartel sont contraints de démissionner.

Dessin humoristique évoquant la crise financière de 1925-1926. On voit, à droite, Édouard Herriot, le chef de gouvernement scier une pièce. La droite le rendait en effet responsable de la chute du franc.

Naissance du Parti communiste français

Persuadés que la révolution mondiale est imminente, à la suite de la prise de pouvoir des révolutionnaires en Russie, en 1917, la majorité des militants socialistes français décident au congrès de Tours, en décembre 1920, de rallier l'Internationale communiste créée par les Russes. Cette scission avec les socialistes, qui veulent rester indépendants vis-à-vis de Moscou et refusent la soumission des syndicats au parti, donne naissance au Parti communiste français.

Le sauvetage du franc

Raymond Poincaré, l'ancien président de la République durant la Grande Guerre, prend la tête d'un gouvernement d'union nationale. Il rétablit vite la confiance en baissant l'impôt sur le revenu et diverses taxes. Pour sauver la monnaie, stimuler les exportations et réduire la dette de l'État, il stabilise le franc au cinquième de sa valeur de 1914 : le franc Poincaré remplace en 1928 le franc germinal. Dans un climat économique plus sain, la France pratique une politique de rapprochement avec l'Allemagne, à l'initiative d'Aristide Briand,

Raymond Poincaré (1860-1934).

un militant de gauche pacifiste. En 1928, celui-ci parvient, avec le soutien des autres grands pays du monde, à élaborer un pacte qui déclare la guerre hors la loi.

Les Années folles

Après les deuils, les souffrances, les privations endurées pendant la Grande Guerre, une fois la paix revenue, c'est la soif de vivre et de rattraper le temps perdu qui domine. Ce sont les Années folles.

Les femmes se libèrent

L'émancipation des femmes, largement amorcée pendant la guerre, joue un rôle important dans les bouleversements qui touchent les arts et la culture mais aussi la morale et la société. Les femmes se libèrent des corsets et leur silhouette tend à se masculiniser avec la mode de la garçonne. Elles vont même jusqu'à se faire couper les cheveux ! Le monde du travail s'ouvre de plus en plus aux femmes et l'accroissement du nombre de divorces semble remettre en question le modèle traditionnel de la famille.

Le surréalisme

L'absurdité de la guerre remet en cause le vieux monde et ses valeurs. En 1917, des artistes se rebellent contre la morale bourgeoise : poésie, amour et liberté, tels sont les mots d'ordre des surréalistes. Ils s'appellent André Breton et Louis Aragon, Paul Éluard, Max Ernst, Juan Miró ou Salvador Dalí. Ces poètes et peintres se passionnent pour le fonctionnement de la pensée et cherchent à saisir ce qui, en l'homme, échappe à la conscience. C'est ce qu'un médecin allemand contemporain, Freud, appelle l'inconscient. Ils notent leurs rêves, se mettent en état d'hypnose pour faire surgir des images du plus profond de leur esprit ou composent des "cadavres exquis" (*ci-contre*) : on trace un mot ou un dessin qu'on cache en partie avant de le passer au suivant qui le continue selon son inspiration, à l'aveuglette.

Music-hall et revue nègre

Les musiques que les soldats américains apportent avec eux suscitent un grand engouement. C'est l'époque du music hall et du dancing où le blues, le ragtime et le fox-trot font fureur, avant le charleston et la java.

Dans le même temps, les revues nègres, dont Joséphine Baker (*ci-contre*) est l'artiste la plus célèbre, connaissent un immense succès. Le cinéma, qui passe du muet au parlant, attire lui aussi les foules.

Un art de plus en plus abstrait

Les découvertes des grands astrophysiciens au début du siècle, tel Einstein, révolutionnent les notions d'espace et de temps. Désormais, la réalité n'est plus seulement ce que l'on perçoit avec ses sens, mais quelque chose que l'on approche par la pensée. Dès 1911, certains artistes élaborent une nouvelle forme de peinture conforme à cette conception du monde : Vassily Kandinsky, Kasimir Malevitch et Piet Mondrian. Ce sont les inventeurs de l'abstraction. En 1931, le groupe Abstraction-Création réunit à Paris tous les partisans de ce mouvement dont Jean Hélion fait partie (*ci-dessus, Composition abstraite*).

Les aventuriers de l'air

Durant les Années folles, l'aviation offre à la jeunesse de nouveaux héros. En 1919, Pierre Latécoère lance la première ligne postale aérienne vers le Maroc, l'Algérie et l'Afrique occidentale, puis en 1927 vers l'Amérique du Sud : c'est l'aventure de l'Aéropostale. Des pilotes intrépides y participent : Jean Mermoz (*ci-contre*), le premier aviateur à traverser l'Atlantique et à survoler la Cordillère des Andes ; Henri Guillaumet qui, après être tombé dans les Andes, en 1930, réussit à échapper à l'enfer blanc en marchant trois jours à 3 500 m d'altitude. À travers ses romans, leur confrère Antoine de Saint-Exupéry fait connaître au public leurs exploits.

La montée des périls

Pendant la première moitié des années 1930, la France est frappée par une crise économique d'une ampleur mondiale. Les dirigeants de la IIIe République, impuissants, font l'objet de violentes critiques.

La crise de 1929

L'effondrement de la bourse de New York en octobre 1929 et la terrible crise économique qui a suivi se font sentir dans le monde entier. La France est touchée plus tard que d'autres pays, en 1932, et moins fortement que l'Allemagne. Elle a la chance d'avoir une monnaie qui résiste bien et son développement industriel est encore trop peu important pour que la crise y ait un effet dévastateur. Néanmoins la chute de la production et de la consommation entraîne de nombreuses faillites et un accroissement du chômage. En 1935, près de 450 000 personnes sont privées d'emploi, soit huit fois plus qu'en 1930.

Scandales et apparition des "ligues"

Les gouvernements, ne sachant comment faire face aux problèmes, se succèdent à un rythme accéléré, ce qui les rend fragiles. Certains courants, telles les ligues d'extrême droite, en profitent pour remettre en question le régime. Seul un système autoritaire est, à leurs yeux, apte à sortir le pays de la crise. Ces critiques contre la République rencontrent un vif succès car, au même moment, des scandales financiers éclatent. L'opinion soupçonne certains hommes politiques de complicité avec les escrocs qui en sont à l'origine.

Vagabond à Marseille, photographié en 1935 par Brassaï. Une image forte et cruelle de cette misère qui touche particulièrement les ouvriers, les femmes et les étrangers. Beaucoup subsistent grâce aux aides des municipalités. Les fonctionnaires voient également leurs salaires baisser dramatiquement.

LA MI-CARÊME

Confetti 1934.

J. SENNEP

Caricature du 6 février 1934 parue dans un journal de droite, *Le Milieu*. Léon Blum (*à gauche*) et Édouard Daladier (*à droite*), alors chef du gouvernement, lancent des gouttes de sang au lieu de confettis. Ils ont réprimé la manifestation d'extrême droite devant la Chambre des députés (en arrière-plan). Le bilan est lourd : 15 morts et 1 400 blessés.

Des marques célèbres

De grandes marques commerciales qui existent toujours voient le jour dans les années 1930. Il s'agit notamment des chemises Lacoste au fameux crocodile, créées en 1933 et qui vont connaître une célébrité mondiale. Autre marque réputée, le Choco BN (Biscuiteries nantaises) qui, depuis 1932, fait le délice des petits.

La crise du 6 février 1934

Le 6 février 1934, une manifestation de ligues d'extrême droite, opposées au régime républicain et au capitalisme, marche sur le Parlement pour demander aux députés de mettre fin aux scandales et au gouvernement de démissionner. Elle dégénère en émeutes. La gauche dénonce une tentative de coup d'État. Aussitôt, les syndicats et les partis de gauche (socialistes, communistes et radicaux) créent un front antifasciste réunissant des hommes politiques, des intellectuels et des syndicalistes. Cette union préfigure le Front populaire (*voir p. 156*).

L'UNITÉ SYNDICALE VOUS APPELLE

Affiche appelant les syndicats à s'unir.

La ligne Maginot

Traumatisée par les pertes humaines de la Grande Guerre, la France veut se protéger d'une nouvelle invasion allemande. Ainsi naît l'idée de construire un système de fortifications qui, partant de la Suisse, longe le Rhin et s'arrête vers la frontière luxembourgeoise. C'est la ligne Maginot, du nom du ministre de la Guerre qui en lance la réalisation. Il s'agit souvent de forteresses souterraines qui peuvent accueillir des milliers d'hommes. Commencée en 1927, la ligne est achevée en 1936 et ne s'avéra pas d'une grande utilité en 1940.

La marche vers la guerre

Avec l'arrivée au pouvoir du Front populaire, nombre de Français espèrent plus de justice sociale. Mais les menaces de guerre se font plus précises et anéantissent bientôt les espoirs apportés par la gauche.

Le Front populaire

Aux élections d'avril et mai 1936, les partis de gauche remportent une large majorité dite de Front populaire, dont Léon Blum, orateur et écrivain de talent, est le chef de file. Il forme un gouvernement de gauche, composé de socialistes et de radicaux, soutenu par les communistes. Dès son entrée en fonction, le nouveau gouvernement doit faire face à d'importantes grèves déclenchées pour réclamer une amélioration des conditions de vie. Les accords de Matignon, signés en juin, marquent des avancées sociales jamais vues en augmentant les salaires, en réduisant la semaine de travail à 40 heures et en instituant les congés payés (le salarié peut prendre des vacances pendant lesquelles il continue à être payé).

Léon Blum (1872-1950) entre au parti socialiste après l'affaire Dreyfus et dirige le parti dès 1920.

Les congés payés

En 1936, les Français découvrent les congés payés. Une loi du 17 juin 1936 les fixe à deux semaines. Pour la première fois, des millions de travailleurs, d'ouvriers et d'employés modestes peuvent, grâce à des tarifs de transport spéciaux, goûter aux joies de la mer et de la campagne.

Départ en congés payés le 31 juillet 1936, gare Saint-Lazare, à Paris.

Espoirs et désillusions

La situation financière difficile dans laquelle la France se retrouve remet rapidement en question la politique du Front populaire. En février 1937, Léon Blum est contraint de mettre fin aux réformes et d'engager une politique d'austérité. En juillet 1936, la guerre civile espagnole éclate, mais ni la France ni l'Angleterre ne s'engagent aux côtés des républicains. Au contraire, l'Allemagne de Hitler et l'Italie de Mussolini apportent leur soutien au dictateur Franco. En juin 1937, le cabinet de Front Populaire démissionne.

La "drôle de guerre" : ni les Français ni les Allemands n'attaquent !

Manifestation de gauche, en 1936, en réponse à l'extrême droite qui a poussé au suicide le ministre de l'Intérieur, Roger Salengro.

La drôle de guerre

En janvier 1938, le radical Édouard Daladier accède au pouvoir alors que la tourmente souffle sur l'Europe. Les exigences nationalistes d'Adolf Hitler (unification de l'Allemagne et de l'Autriche, volonté d'annexer une partie de la Tchécoslovaquie), au pouvoir depuis 1933, déstabilisent l'Europe. Dans les mois qui suivent, les crises internationales se succèdent. La France est profondément pacifiste car elle est encore hantée par les massacres de la Grande Guerre. Les revendications exprimées sur la Pologne par Hitler lèvent les derniers doutes. Deux jours après l'invasion du territoire polonais, le 3 septembre 1939, la France et la Grande-Bretagne entrent en guerre contre l'Allemagne, alliée à l'Italie, au Japon et à l'URSS (la Russie communiste). Jusqu'au 10 mai 1940, date de l'invasion de la Belgique et des Pays-Bas, puis de la France par les troupes allemandes, rien ne se passe. L'état-major français se résigne à une longue guerre d'usure et compte sur le blocus pour vaincre l'Allemagne.

La défaite et le régime de Vichy

En juin 1940, après cinq semaines de combats, la France est vaincue. Le gouvernement, d'abord réfugié à Bordeaux, démissionne et le maréchal Pétain est appelé au pouvoir. Commencent alors quatre années d'occupation allemande.

Pétain et la France vaincue

Grande figure militaire de la Première Guerre mondiale, le maréchal Philippe Pétain devient président du Conseil en juin 1940, à 84 ans. À ce moment, la France est en grande partie envahie par l'Allemagne et près de 1,8 million de Français sont faits prisonniers. Le nouveau gouvernement signe l'armistice. En juillet 1940, le Parlement accorde les pleins pouvoirs au Maréchal. Il devient le chef d'une France réduite à la moitié de son territoire et à son empire colonial (*voir pp. 144-145*).

Adolf Hitler et son état-major visitent triomphalement Paris, occupé depuis le 28 juin 1940. Les Allemands ont envahi l'Europe, de la Norvège à la frontière espagnole et de la côte atlantique jusqu'à l'URSS (Russie communiste). Seul le Royaume-Uni n'a pas été envahi, ainsi que la Suisse, restée neutre.

Frontières actuelles

— Ligne de démarcation

Zone non occupée (zone libre)

Zone occupée par les Allemands

Alsace-Lorraine annexée au Reich allemand

Zone interdite (littoral) dans le cadre du "Mur de l'Atlantique"

Zone occupée, zone libre

La France est en effet séparée en deux par une ligne de démarcation entre une zone nord occupée et une zone sud dite "libre". La zone nord est sous l'autorité de l'armée allemande. La zone sud est sous l'autorité du gouvernement de Pétain installé à Vichy. Cependant, en novembre 1942, les Allemands envahissent la zone libre, en représailles au débarquement des alliés anglais et américains – entrés en guerre en décembre 1941 – en Afrique du Nord.

L'État collaborationniste

Au départ, l'État français pratique une politique de collaboration mesurée avec l'Allemagne. Au fil des mois, le phénomène s'accentue, allant jusqu'à une certaine collaboration militaire, mais aussi une coopération dans les domaines policier et économique. Le régime pratique une politique d'exclusion dirigée contre les étrangers, les Juifs et les francs-maçons, et de répression des opposants. En 1944, Vichy passe sous la coupe des partisans de l'Allemagne et de leur police politique, la Milice.

La figure du Maréchal, autorité morale et rassurante, figure sur nombre d'affiches de propagande. Ci-dessus, une affiche pour célébrer la fête des Mères, l'une des rares créations de Vichy qui ait perduré jusqu'à nos jours.

La Révolution nationale

Le maréchal Pétain pense que les Français ont perdu la guerre pour avoir négligé des principes comme l'amour du pays et l'esprit de sacrifice. Il en tient la République responsable et met en avant des valeurs d'avant la Révolution française. Il supprime le Parlement, les syndicats et nomme tous les maires. Ses maîtres mots sont "Travail, Famille, Patrie". Pour propager les idées de sa Révolution nationale, il s'appuie sur les mouvements de jeunesse et d'anciens combattants.

La politique antisémite de Vichy

S'ils portent l'étoile jaune dans la zone occupée, les Juifs n'y sont pas obligés dans la partie administrée par Vichy jusqu'à l'invasion allemande de novembre 1942. Ils sont cependant soumis à un statut spécial qui les exclut de certaines professions ou les contraint à céder leurs biens à l'État. Par ailleurs, le recensement que leur impose Vichy permet à l'occupant d'entreprendre des rafles, comme celle de juillet 1942, dite "rafle du Vél' d'hiv'". Près de 75 000 des 320 000 Juifs résidant en France sont ainsi déportés vers les camps de la mort nazis. Depuis le 20 janvier 1942, les Allemands traquent en effet tous les Juifs d'Europe et les exterminent dans des chambres à gaz, avant de les faire disparaître dans des fours crématoires. Seuls 2 500 juifs français déportés rentreront en 1945.

En 1943, afin de disposer de la main-d'œuvre dont ils ont besoin pour leur industrie de guerre, les Allemands créent le STO (Service du travail obligatoire) qui leur permet d'enrôler 650 000 travailleurs, âgés de 16 à 60 ans. Vichy se prête au chantage, en faisant croire que l'envoi de travailleurs volontaires permettra la relève des prisonniers.

159

La France résistante

Si le régime de Vichy compose avec l'occupant, une partie des Français, refusant la défaite, s'engage dans la voie de la résistance en rejoignant la France libre ou les mouvements et réseaux qui se développent dans le pays.

De Gaulle, l'homme du 18 Juin

Charles de Gaulle, un militaire convaincu depuis les années 1930 qu'une armée ne peut combattre sans blindés, refuse l'armistice et se réfugie à Londres. Le 18 juin 1940, il lance depuis la BBC (la radio nationale anglaise) le premier appel à la résistance, tant vers la France occupée que vers l'Empire et, en juillet, il crée le mouvement de la France libre. Il bénéficie de l'appui de Winston Churchill, Premier ministre du Royaume-Uni, dont le pays est toujours en guerre contre l'Allemagne.

UN SEUL COMBAT POUR UNE SEULE PATRI

Affiche de la Résistance se faisant l'écho de l'appel du 18 Juin à rallier la France libre, héritière morale de la République française.

La guerre des chansons

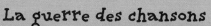

La propagande joue un rôle essentiel pendant la Seconde Guerre mondiale. La chanson est utilisée dans les deux camps comme arme politique.
Le *Chant des partisans*, dont les paroles sont écrites par les écrivains Maurice Druon et Joseph Kessel, devient l'hymne de la Résistance tandis que *Maréchal nous voilà* constitue une ode à Pétain et remplace *La Marseillaise*.

La France libre

Réduit à quelques centaines d'hommes au départ, ce mouvement prend peu à peu de l'ampleur grâce au ralliement d'hommes politiques et de militaires. Un certain nombre de territoires de l'Empire français, en Afrique et dans le Pacifique notamment, le rejoignent également. En 1941, il donne naissance à un gouvernement, le Comité national français, et en 1942, son armée est engagée sur tous les champs de bataille, surtout en Afrique, où les Français libres affrontent victorieusement Allemands et Italiens à Bir Hakeim (Lybie).

La Résistance intérieure

Parallèlement, des mouvements et des réseaux de résistance naissent en France occupée ou en zone libre. Leurs membres, qui vivent dans la clandestinité, se consacrent à des tâches de renseignement et à des actions militaires ponctuelles ou de sabotage. En juin 1941, l'URSS, envahie par les Allemands, change de camp (*voir p. 157*) et rejoint les Alliés. Les militants communistes français, entrés dans la clandestinité depuis 1939, rejoignent alors la résistance. Désormais, les attentats contre l'occupant deviennent l'un des principaux moyens de lutte. Les représailles allemandes, marquées par des exécutions d'otages et de "combattants de l'ombre" (nom donné aux résistants), sans cesse plus nombreux, se multiplient. En 1943, grâce au travail de Jean Moulin, un ancien préfet entré tôt dans la lutte, les forces résistantes s'unissent au sein du Conseil national de la Résistance (CNR) et reconnaissent de Gaulle comme leur chef.

Émetteur-récepteur valise permettant aux résistants de communiquer avec Londres.

Le maquis du Vercors

Afin d'échapper au STO (*voir p.159*), beaucoup de jeunes rejoignent les maquis, des camps secrets constitués par la Résistance. Le massif du Vercors, près de Grenoble, en abrite près d'une douzaine. En accord avec Londres, il est décidé que ces résistants interviendront au moment du débarquement allié en Provence. On leur enverra des troupes par avion pour combattre l'ennemi sur ses arrières. Les maquisards entrent en action le 6 juin 1944 mais ne reçoivent pas le renfort prévu. Les Allemands les encerclent et martyrisent la population civile en représailles.

Groupe de maquisards corses gagnant leur lieu de combat.

La Libération

En 1943, le général de Gaulle est le chef incontesté d'une France qui se bat pour sa libération. Après avoir rassemblé derrière lui toutes les forces vives du pays, il fonde à Alger un Gouvernement provisoire de la République, bientôt reconnu par les Alliés.

Alger et la France combattante

À l'initiative du président américain Roosevelt et du Premier ministre britannique Churchill, les deux chefs de la France résistante se rapprochent : Charles de Gaulle, chef de la France libre de Londres, et le général Giraud, à la tête de l'Afrique française du Nord (cette partie de l'empire est passée dans le camp allié après le débarquement anglo-américain de novembre 1942 à Cassablanca et à Alger). Les deux hommes se mettent d'accord pour créer, en juin 1943, un Comité français de la libération nationale qui permet d'unifier les Français en lutte. De Gaulle devient le seul chef de la France libre et combattante à la fin de la même année.

Le Gouvernement provisoire de la République

En juin 1944, alors que les Alliés américains et anglais sont prêts à débarquer en France, Charles de Gaulle crée un Gouvernement provisoire de la République française qui rassemble toutes les forces politiques. Il procède aussi à la reconstitution d'une armée et crée des structures politiques et administratives afin d'empêcher les Alliés d'établir leur autorité sur le territoire français à la Libération.

La place de la Concorde, à Paris, les premiers jours de la Libération, entre les 19 et 26 août 1944. La foule se presse autour des fusiliers marins et des chars de la 2e division blindée du général Leclerc.

Débarquement d'un tank américain lors de l'opération Overlord.

Marianne soulève l'énorme dalle de l'occupation allemande.

Opération Overlord

Une opération de débarquement en Normandie, connue sous le nom " d'opération Overlord ", avait été décidée en novembre 1943 par les trois chefs d'états des principaux Alliés, l'Américain Roosevelt, l'Anglais Churchill et le Russe Staline. Elle débute le matin du 6 juin 1944, lorsque 5 000 bateaux débarquent leurs hommes sur les plages normandes. Un autre débarquement des forces franco-américaines a lieu en Provence, le 15 août 1944. Ces deux opérations vont conduire à la libération de la France.

La France libérée

En juin 1944, le débarquement allié en Normandie marque le début de la reconquête de la France occupée. Deux mois plus tard, Français et Alliés libèrent Paris où de Gaulle effectue une entrée triomphale et affirme son pouvoir. La libération définitive n'intervient cependant qu'avec la conquête de Colmar, en février 1945, et la délivrance des quelques ports encore aux mains des Allemands, en mai de la même année. Si de Gaulle n'a été invité à aucune des grandes conférences alliées, la France obtient toutefois une zone d'occupation en Allemagne et le général de Lattre se trouve à Berlin, le 8 mai 1945, pour apposer sa signature sur le document qui sanctionne la reddition nazie.

L'épuration

La libération de la France s'accompagne d'un certain nombre de règlements de comptes et de condamnations ou exécutions de Français, accusés de collaboration. Cette "épuration" touche toutes les couches de la société, depuis les milieux intellectuels jusqu'à l'armée, en passant par l'administration et la justice. Parfois abusive, surtout au début, elle se traduit par des exécutions sommaires qui font environ 10 000 victimes.

La Reconstruction

En juin 1945, la France est libérée, mais épuisée par quatre ans d'occupation et de guerre. Il faut reconstruire les maisons, les routes, les ponts, tout ce qui a été détruit, mais aussi moderniser les usines, acheter des tracteurs…

Un État plus présent

Des régions entières comme la Normandie ont été détruites par les bombardements ; les chemins de fer ont été très touchés et les marchandises circulent difficilement…
La France manque de tout : blé, charbon, machines.
L'État lance de grandes réformes et décide d'intervenir dans la vie économique en devenant le "patron" de certaines entreprises comme les mines de charbon (l'énergie la plus utilisée alors), la production de gaz et d'électricité, mais aussi les banques et la production automobile avec Renault.
C'est ce qu'on appelle les nationalisations. Les États-Unis lancent le plan Marshall, une aide en argent et en nature pour soutenir la reconstruction des pays européens.
Grâce à cette aide et à sa politique de réformes, dès 1948, la France produit plus qu'avant guerre.

Carte de rationnement.
Selon la taille de la famille, on se voit attribuer plus ou moins de charbon, de pain, etc.

Tout maigrichons

Après guerre, les Français ne mangent pas à leur faim.
Le pain est rationné jusqu'en 1949.
Tout le monde a maigri : en moyenne, les adolescents de 1945 ont perdu 7 à 11 cm et 7 à 9 kg par rapport à ceux de 1935 ! Il faudra attendre le milieu des années 1950 pour retrouver des jeunes plus grands et plus costauds…

Ruines de la ville d'Isigny, en 1945.
Le débarquement a transformé la Normandie en un gigantesque champ de bataille. La région est dévastée : les centres de Caen, Vire, Falaise et Lisieux sont presque totalement détruits. Leur reconstruction s'effectuera sur de longues années.

Après guerre, la France manque cruellement de logements. Il faut reconstruire vite des immeubles qui peuvent accueillir beaucoup de monde. C'est le début des immeubles-barres et des grands ensembles comme le montre cette affiche figurant la région parisienne.

Vers plus de solidarité

La population souffre de la pénurie et l'État réagit en mettant en place une société plus juste : la Sécurité sociale est créée pour permettre aux salariés de se soigner et d'avoir de quoi vivre quand ils ne peuvent plus travailler. Chaque travailleur participe au financement de cet organisme en lui versant une part de son salaire. L'État gère aussi les aides pour les chômeurs et pour les familles.

Les Françaises votent !

En 1945, les Françaises obtiennent enfin le droit de vote, des dizaines d'années après les Australiennes, les Scandinaves, les Russes, les Américaines, les Anglaises et les Turques ! Au pays des Droits de l'homme, la femme n'a pas toujours été l'égale de l'homme…

La valse des gouvernements

Après la guerre, les Français instaurent une nouvelle République, la IVe, et donnent des pouvoirs importants à l'Assemblée nationale où les députés contrôlent l'action du gouvernement. Mais rapidement les élus, trop divisés, n'arrivent pas à se mettre d'accord et changent très souvent les dirigeants. Pourtant, outre la reconstruction, la France doit faire face à de sérieux problèmes : les peuples colonisés revendiquent leur indépendance (*voir pp. 166-167*) et se soulèvent. Dès novembre 1946, la guerre d'Indochine commence ; puis, en 1954, des troubles violents débutent en Algérie. À partir de 1956, la France y envoie se battre les jeunes soldats qui font leur service militaire. Sur toutes ces questions, les citoyens sont divisés. Incapable de résoudre la crise algérienne, la IVe République tombe en mai 1958, à la suite d'un soulèvement de Français d'Algérie. Elle n'aura duré que douze ans.

Affiche de propagande à l'intention des soldats envoyés en Algérie.

La décolonisation

Après 1945, les peuples des colonies d'Asie et d'Afrique réclament leur indépendance. Mais la France fait la sourde oreille, soucieuse de préserver sa puissance, ses intérêts économiques et ses citoyens qui vivent sur place.

La guerre d'Indochine (1946– 1954)

L'Indochine (*voir carte p. 144*) est une colonie prospère : les Français y possèdent des mines de charbon, d'étain et des plantations d'hévéas (caoutchouc naturel) ; ils ont investi et construit des chemins de fer, des routes, des ports, des hôpitaux et des écoles. De jeunes Indochinois, éduqués en Europe, y ont appris les principes de la liberté des peuples et s'en servent pour réclamer l'indépendance : c'est ce qui se passe à partir de septembre 1945. La France refuse et c'est la guerre. En 1954, l'armée française subit une grave défaite à Diên Biên Phu. Pierre Mendès France, chef du gouvernement, reconnaît alors l'indépendance du Vietnam et de ses voisins, le Cambodge et le Laos.

Affiche du Parti communiste français contre la guerre en Algérie.

La guerre d'Algérie

Pour beaucoup, « L'Algérie, c'est la France ». Un million de Français, les "pieds-noirs", y vivent, souvent depuis des générations, face à huit millions de "Musulmans d'Algérie". En 1945, à Sétif, la police réprime dans le sang une manifestation d'indépendantistes musulmans. Les partisans de l'indépendance tentent d'agir légalement, mais leurs pouvoirs sont limités. C'est pourquoi une nouvelle organisation, le Front de libération nationale (FLN), choisit la solution de la lutte armée et déclenche, le 1ᵉʳ novembre 1954, des attentats contre des fonctionnaires et des militaires français. C'est l'escalade de la violence : déplacement de populations algériennes et usage de la torture contre des prisonniers du côté de l'armée française ; assassinats de "pieds-noirs" et attentats à la bombe du côté du FLN.

Vietminhs (combattants indépendantistes vietnamiens) arrêtés par des soldats français en 1950.

Une séparation douloureuse

Il faut quatre ans au général de Gaulle pour sortir le pays de ce drame. Il doit affronter une minorité de Français hostiles à toute négociation, notamment l'Organisation de l'Armée secrète (OAS) qui tente même de l'assassiner. En mars 1962, l'Algérie obtient enfin l'indépendance par les accords d'Évian. Mais la haine est trop forte entre les différentes communautés pour qu'elles puissent continuer à vivre ensemble. Les "pieds-noirs" quittent l'Algérie et certains harkis (Algériens enrôlés dans l'armée française), sujets à des représailles, se réfugient en France.

Jeunes indépendantistes algériens brandissant le drapeau du FLN lors d'une manifestation, en décembre 1960.

Des indépendances négociées

En Tunisie, au Maroc et en Afrique occidentale et équatoriale, les Français sont moins nombreux, la France accepte donc plus facilement l'indépendance. Après de nombreuses crises, Tunisie et Maroc obtiennent leur souveraineté en 1956. Les territoires français d'Afrique noire accèdent à l'indépendance par étapes : en 1958, ils obtiennent le droit de se diriger eux-mêmes tout en restant sous l'autorité française, avant d'obtenir l'indépendance complète en 1960.

Les liens ne sont pas coupés

Tous ces pays récemment indépendants ont besoin d'argent pour s'équiper, d'ingénieurs, de médecins et d'enseignants ; la France leur fournit cette aide en passant avec eux des accords de coopération civile. Elle assure également une coopération militaire (installation de bases françaises) dans les pays qui le demandent. Beaucoup de pays d'Afrique noire ont par ailleurs choisi une monnaie liée au franc (puis à l'euro), le franc CFA, et la plupart gardent l'usage de la langue française dans l'administration. Enfin de nombreux Africains viennent chercher du travail ou étudier en France.

Billet de 1 000 francs CFA en usage dans les années 1980 en Afrique de l'Ouest (Sénégal, Côte d'Ivoire, Mali, Niger, Burkina, Bénin et Togo).

De Gaulle et Pompidou

En 1958, le général de Gaulle est appelé au pouvoir. Les Français attendent de lui la paix en Algérie et la stabilité politique. Ils lui en donnent les moyens en votant une nouvelle constitution.

Un président fort

La constitution de la Vᵉ République – toujours en vigueur – donne beaucoup de pouvoir au président de la République (élu au suffrage universel, c'est-à-dire par tous les citoyens, à partir de 1965). Il peut poser directement une question aux Français en organisant un référendum. En cas de désaccord politique avec l'Assemblée nationale, il peut la dissoudre, ce qui entraîne de nouvelles élections législatives. Le général de Gaulle, par son style autoritaire, renforce ce pouvoir. Ses adversaires le comparent même à Louis XIV !

Le général de Gaulle en 1967.

De grandes ambitions pour la France

De Gaulle veut une France indépendante, notamment à l'égard des États-Unis, et forte dans le monde. Afin que le pays puisse assurer sa propre défense, il veut le doter de l'arme atomique, ce qui nécessite la maîtrise d'une autre technologie moderne : l'informatique. De Gaulle lance donc le "plan Calcul" qui crée une industrie informatique française autour de l'entreprise Bull. De grands projets voient le jour avec la construction du paquebot *France* et, en coopération avec la Grande-Bretagne, du *Concorde*, l'avion commercial le plus rapide au monde. Prouesse technique, le *Concorde* ne se vendra pourtant pas et l'informatique française ne résistera pas à la concurrence des Américains et des Japonais.

Profil effilé pour le *Concorde*, avion supersonique qui volait à plus de deux fois la vitesse du son, soit 100 km en 3 minutes. Le premier vol commercial eut lieu en 1976, le dernier en 2003.

Pompidou prend la relève

Un an après la crise de Mai 1968 (*voir pp. 170-171*), le général de Gaulle démissionne. Son successeur, l'ancien Premier ministre Georges Pompidou, entame la modernisation économique du pays et encourage la formation de grands groupes industriels. Avec des partenaires européens, la France construit, avec succès, les avions *Airbus* et la fusée *Ariane*, capable d'envoyer dans l'espace des satellites transmettant des images de télévision ou faisant des observations météorologiques. Après le " choc pétrolier " de 1973, au cours duquel le prix du pétrole est multiplié par quatre, la France se lance dans la construction de centrales nucléaires afin d'être moins dépendante du pétrole pour la production d'électricité.

Affiche anti-nucléaire d'un jeune parti fondé en 1960 : le Parti socialiste unifié (PSU).

Le président Georges Pompidou en 1969, entrant dans une Citroën DS, la voiture culte des années 1970.

L'ère du plastique

Fabriqué à partir du pétrole, abondant et bon marché dans les années 1960, le plastique est facile à transformer, léger, résistant et pratique. Bientôt, il envahit tout, de la cuisine aux industries du bâtiment et de l'automobile, en passant par les lunettes, les jouets, les couches pour bébé, les emballages...

La bataille du nucléaire

Aujourd'hui, grâce à l'électricité d'origine nucléaire, la France n'importe plus que la moitié de son énergie, au lieu des trois quarts en 1974 ! Elle exporte de l'électricité et vend son savoir-faire en construisant des centrales à l'étranger, en Chine par exemple. Pour les partisans du nucléaire, cette énergie est abondante, sûre et économique, elle préserve la qualité de l'air en ne rejetant pas de gaz carbonique. Ses adversaires, eux, dénoncent les risques liés à l'utilisation de produits radioactifs, difficiles à manipuler et très dangereux pour l'être humain en cas de contact (irradiation), comme l'a montré l'accident de la centrale de Tchernobyl, en Ukraine, en 1986. Ils soulignent aussi le problème du stockage des déchets qui mettent des siècles à perdre leur radioactivité.

Mai 1968

La génération du *baby-boom*, ces bébés nés très nombreux après la guerre, a grandi. Tout semble lui sourire. Pourtant au printemps 1968, les jeunes se révoltent aux États-Unis et en Europe. Que veulent-ils ?

« Il est interdit d'interdire »

Les slogans des étudiants : « Il est interdit d'interdire» ou « L'imagination au pouvoir» traduisent bien leur souhait d'une société différente, plus libre. Moins d'autorité, plus de liberté, les idées de Mai 68 n'ont pas disparu totalement avec la fin du mouvement. Elles ont contribué à modifier les relations entre parents et enfants, professeurs et élèves, hommes et femmes.

Une nouvelle génération

Les jeunes n'ont pas connu la guerre comme leurs parents ou leurs grands-parents ; ils sont plus nombreux que leurs aînés à faire des études et ils ne manquent de rien. Cependant, ils reprochent à la société de ne penser qu'à l'argent et à la production de biens matériels. Ils rejettent les valeurs de leurs parents comme le respect de l'ordre et l'autorité des anciens : Mai 1968 est un conflit de générations. Certains condamnent la guerre au Vietnam, où les États-Unis se battent contre l'établissement d'un régime communiste, et admirent Che Guevara, un révolutionnaire tué en 1967 en prenant les armes contre une dictature en Bolivie.

Contestation

La protestation étudiante commence début mai à l'université de Nanterre, près de Paris, contre la "sélection" qui consiste à choisir les meilleurs élèves pour l'entrée à l'université. Ils réclament aussi moins de discipline dans les cités universitaires. Le mouvement de contestation s'étend bientôt à toute la France. À Paris, l'université de la Sorbonne, occupée par les étudiants en grève, devient un lieu de débats animés.

Usines occupées

Puis c'est au tour des salariés de se joindre au mouvement de protestation : toute l'activité s'arrête, les usines sont occupées, on compte dix millions de grévistes. Fin mai, des négociations entre patrons et syndicats aboutissent aux accords de Grenelle assurant des augmentations de salaire et des garanties pour les syndicats, mais les grèves continuent...

Manifestations et barricades

À partir du 10 mai 1968, le Quartier latin à Paris est le théâtre d'affrontements violents entre les manifestants et la police : les pavés servent de projectiles, des arbres sont abattus, des voitures brûlent. Dans de nombreuses grandes villes se déroulent des manifestations dont le slogan « 10 ans, ça suffit ! » vise le pouvoir du général de Gaulle.

Le dénouement

De Gaulle, surpris par ce mouvement, est d'abord resté étrangement silencieux et la gauche se prépare à lui succéder. Tout bascule lorsque le président parle enfin, le 30 mai, à la radio et à la télévision. Avec fermeté, il demande que «les étudiants étudient, que les travailleurs travaillent » et il annonce de nouvelles élections. Aussitôt, une grande manifestation s'organise à Paris : un million de personnes défilent de l'Arc de Triomphe à la place de la Concorde pour soutenir le général de Gaulle (ci-contre). Les grèves s'effilochent et les élections font arriver à l'Assemblée nationale un raz de marée de députés conservateurs.

Une France nouvelle

La 4 CV, le grand succès de Renault dans les années 1950 : pour la première fois, une voiture française est produite à plus d'un million d'exemplaires.

Avec la croissance, les Français entrent dans ce qu'on appelle la société de consommation : ils s'équipent, découvrent le confort et la modernité au quotidien.

La pleine croissance

Jusque dans les années 1950, la France est un pays de petites entreprises produisant pour la clientèle nationale. L'industrie se tourne ensuite vers l'exportation, surtout vers l'Europe, grâce à des sociétés plus grandes et plus modernes qui produisent moins cher pour vendre plus. Ces progrès permettent aux Français d'augmenter leurs richesses d'environ 4 % par an entre 1958 et 1975.

Les Français au travail

Dans l'industrie et l'agriculture, les machines remplacent progressivement les hommes. Les emplois nouveaux sont créés dans les activités de services – c'est-à-dire dans les banques, le commerce, le tourisme, les loisirs, les soins médicaux, l'enseignement –, métiers où les femmes sont de plus en plus nombreuses. Grâce à l'allongement des études, ces travailleurs sont mieux formés.

Pavillons et villes nouvelles apparaissent dans les années 1970 en banlieue.

Une France de plus en plus urbaine

Au sortir de la guerre, la France est encore un pays fortement rural. Mais l'agriculture offrant moins d'emplois, beaucoup de jeunes quittent la campagne pour aller trouver du travail en ville. Devant l'afflux des nouveaux habitants, les logements manquent. Pendant les années 1950, il y a une crise du logement et au cours de l'hiver 1954, très froid, l'abbé Pierre alerte pour la première fois l'opinion sur le drame des sans-logis. Pour répondre au problème, on construit dans les années 1960 des tours ou de grands ensembles dans les banlieues. Puis, le niveau de vie augmentant, les gens choisissent de vivre dans des pavillons : les banlieues s'étalent encore et grignotent les villages. Pour beaucoup de Français, c'est la découverte du confort : chauffage central, eau chaude, toilettes et salle de bains. La France nouvelle est définitivement une France de villes et de citadins.

Une révolution silencieuse

Entre 1960 et 1974, le nombre d'agriculteurs diminue de moitié tandis que la production double, faisant de la France le premier producteur européen ! L'agriculteur d'aujourd'hui ne ressemble plus au " paysan " d'autrefois : il doit étudier et se tenir au courant des nouvelles recherches, comme il doit connaître la réglementation européenne et savoir ce qui se vend. Victimes de leur succès, les agriculteurs produisent trop certains produits (sucre, lait, viande) à partir des années 1970. Ils doivent apprendre également à mieux doser les engrais et à moins polluer les sols.

Le tracteur remplace définitivement les animaux de trait dans les fermes.

Du "baby" au "papy-boom"

Au cours des années 1960, la population française augmente et rajeunit. Mais cette génération de l'après-guerre arrive à l'âge de la retraite et les jeunes d'aujourd'hui, moins nombreux qu'hier (bien que les Français aient plus de bébés que leurs voisins européens !), auront à faire vivre un grand nombre de retraités par leur travail.

1946			1962			2003		
39,848 millions d'hab.			46,459 millions d'hab.			59,630 millions d'hab.		
29,5%	54,5%	16%	33,1%	49,8%	17,1%	25,12%	54,24%	20,64%

Publicité des années 1960 pour une marque de machine à laver le linge.

La société de consommation

La croissance économique permet à tous les Français de découvrir le confort ménager. Le développement du crédit (on achète tout de suite et on paie plus tard ou en plusieurs fois) rend possibles des achats coûteux comme une télévision ou une voiture et transforme les habitudes de vie. Le premier hypermarché ouvre en 1963 ; puis les banlieues accueillent les grandes surfaces commerciales à partir des années 1970 : désormais on prend sa voiture pour faire ses courses !

La France à l'épreuve des changements

À partir de 1974, la France a de plus en plus de difficulté à maintenir sa place dans le monde et doit affronter, comme tous les autres pays européens, une profonde crise économique.

Un président au style plus moderne

Georges Pompidou meurt en avril 1974 et Valéry Giscard d'Estaing est élu en mai. Le nouveau président se présente comme l'homme du changement et veut adapter la loi aux transformations de la société. Il abaisse l'âge de la majorité à 18 ans (contre 21 ans auparavant) et réforme le collège pour accueillir presque tous les jeunes jusqu'en troisième. Depuis 1967, les femmes pouvaient recourir à la contraception pour choisir d'avoir ou non un enfant ; en 1975 une nouvelle loi (la loi Veil) leur permet d'interrompre une grossesse non désirée.

L'adaptation à la "crise économique"

Toutefois, à partir de 1975, la montée du chômage devient le principal souci. En effet, la croissance exceptionnelle que connaissait le monde s'arrête. Cette pause coïncide avec la montée du prix du pétrole et avec une concurrence internationale plus rude. Car les biens produits par des pays comme le Brésil, la Corée du Sud, l'Inde ou la Chine sont meilleur marché que les produits français, les salaires y étant plus bas. Ne trouvant plus d'acheteurs, des usines ferment. Des régions, telles que la Lorraine et le Nord-Pas-de-Calais, où l'on doit fermer les mines, sont massivement touchées et une grande partie de la population se retrouve sans travail. Les Français doivent aussi s'adapter à une nouvelle révolution technique : celle de l'informatique et de l'électronique.

Manifestation de mineurs et de syndicalistes en 1984 protestant contre la fermeture des mines de charbon dans le nord de la France.

L'évolution du chômage de 1964 à 2005.

1964	19 millions	125 000	(1,5%)
1973	22 millions	660 000	(3%)
1993	25,4 millions	3,172 millions	(12,7%)
Janvier 2005	27,16 millions	2,716 millions	(10%)

DE TOUTES LES FORCES DE LA FRANCE

MITTERRAND

Les Français n'ont plus confiance

En 1986, la droite remporte les élections législatives et obtient la majorité à l'Assemblée nationale. Le président Mitterrand nomme un Premier ministre de droite, Jacques Chirac. Cette cohabitation est une situation nouvelle qui se reproduit en 1993, puis en 1997 en sens inverse (Jacques Chirac, élu président en 1995, nomme un Premier ministre de gauche, Lionel Jospin).
En changeant si souvent d'avis, les électeurs montrent qu'ils ont perdu confiance dans les hommes politiques. Certains cherchent dans le vote écologiste des solutions nouvelles, d'autres se laissent séduire par l'extrême droite qui rejette l'Europe et l'immigration. Aux élections présidentielles de 2002, le socialiste Lionel Jospin est dépassé par le candidat d'extrême droite, Jean-Marie Le Pen. Celui-ci figure au deuxième tour, face à Jacques Chirac, réélu avec 80 % des voix, dont celles de la gauche.

La gauche au pouvoir

Valéry Giscard d'Estaing ne parvient pas à réduire le chômage. Il perd les élections présidentielles de mai 1981 contre le premier secrétaire du parti socialiste, François Mitterrand. C'est un choc pour la droite, au pouvoir depuis 1958 ! De grandes réformes sont menées : abolition de la peine de mort, décentralisation qui accorde aux communes, départements et régions des pouvoirs plus étendus. Les socialistes pensent qu'en réduisant la durée du temps de travail (retraite à 60 ans, cinquième semaine de congés payés, semaine de 39 heures), ils inciteront les entreprises à embaucher.
Mais le nombre de chômeurs ne cesse d'augmenter : 2 millions en 1983. En 1984, face à cet échec, le gouvernement arrête les réformes et adopte une politique plus proche de celle des autres pays européens.

Coluche, le porte-parole de ceux qui n'ont rien

Pendant l'hiver 1984-1985, cent quarante-cinq personnes meurent de froid. L'humoriste Coluche fonde alors les " Restaurants du cœur ", une association qui sert des repas et aide les plus démunis. Sa popularité le conduit même à se présenter aux élections présidentielles de 1981 : c'est une manière de critiquer les hommes politiques qui n'arrivent pas à trouver de solutions au problème du chômage. Le nombre de personnes pauvres ne cesse de croître : des gens sans travail ou sans logis, mais aussi des femmes élevant seules leurs enfants et n'ayant qu'un travail temporaire ou à mi-temps, peu rémunéré, ou encore des personnes âgées touchant une faible retraite.

VOTEZ POUR moi

Jacques Chirac en campagne présidentielle, en 1988.

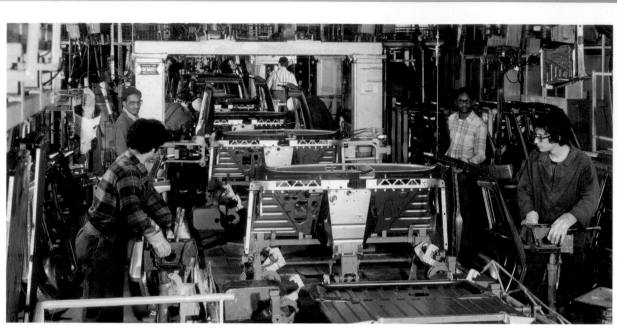

Des Français venus d'ailleurs

Depuis plus d'un siècle, la France accueille des immigrés. D'origine européenne avant-guerre, ils viennent depuis 1945 du monde entier. Que trouvent-ils en France et quel accueil leur réserve-t-on ?

Les "vagues" d'immigration

Après les Italiens, les Espagnols et les Polonais arrivés entre les deux guerres, la France des années 1950-1970, en pleine croissance économique, a attiré de jeunes travailleurs venus du Maroc, d'Algérie, de Tunisie, du Portugal et d'Afrique noire, puis plus récemment du Proche-Orient et d'Asie. Comme les Européens du XIXᵉ siècle fascinés par les États-Unis, ces étrangers espèrent trouver en France un travail régulier, des salaires plus élevés, la liberté. Souvent, ils se sont installés définitivement en France et ont fait venir leurs familles. Mais à partir de 1974, les difficultés économiques conduisent les gouvernements à limiter l'immigration : les nouvelles arrivées sont dues essentiellement aux familles des travailleurs déjà présents, d'autres se font illégalement, dans la clandestinité.

Les **travailleurs immigrés** sont particulièrement nombreux sur les chantiers de construction comme le suggère cette grue à l'arrière-plan.

De nouveaux Français

Depuis 1945, beaucoup d'immigrés ont obtenu la nationalité française ; et les enfants d'immigrés, nés en France, la reçoivent automatiquement selon le principe du "droit du sol". Jusqu'aux années 1960, ces nouveaux venus se sont bien adaptés à la société française grâce à des lieux où ils se mélangeaient aux Français : l'école pour les enfants, l'usine et les cellules syndicales ou de partis politiques pour les travailleurs.

Les grandes barres des années 1960-1970, délaissées par les Français au profit de pavillons, sont souvent devenues des ghettos pour les immigrés.

Terre de mélange

Si l'on additionne étrangers vivant en France et Français ayant au moins un parent ou un grand-parent étranger, douze millions d'habitants, soit un sur cinq, sont d'origine étrangère. Sans les immigrés et leurs descendants, la France de 1985 aurait eu à peine plus d'habitants que celle de 1900 !

Jeunes femmes manifestant en 2004 contre l'interdiction du port du voile à l'école.

Les problèmes d'intégration

Depuis 1975, cette intégration en douceur est plus difficile : peu qualifiés pour la plupart, les immigrés sont durement touchés par le chômage. Le mélange avec des Français de souche est moins aisé. En outre, l'école a des difficultés à former une masse d'élèves plus nombreuse et plus disparate. Les immigrés habitent souvent des quartiers que les Français désertent. Ceux que l'on continue parfois à percevoir comme "immigrés", alors qu'ils sont français, se sentent victimes du racisme. Même si beaucoup adoptent les modes de vie français, d'autres sont plus réticents, notamment pour des raisons religieuses.

Ils affirment leur différence, avec le port du "foulard islamique" par exemple. Des tensions apparaissent, conduisant certains Français à estimer que le pays n'est plus en mesure d'accueillir de nouveaux venus aux cultures si éloignées.

Symbole de SOS-Racisme, une association créée en 1984 pour dénoncer les actes racistes.

Ce rejet n'est pas nouveau : à la fin du XIXe siècle, on jugeait déjà les Italiens trop différents… Pourtant l'immigration reste nécessaire car la France manque de médecins, d'infirmières, d'informaticiens et devra remplacer au travail les aînés nombreux à partir en retraite.

La France et l'Europe

Pour établir durablement la paix et construire une zone de prospérité, un grand projet est mis en chantier dès 1950 : fédérer les pays européens, sans distinction entre vainqueurs et vaincus, autour d'une politique économique commune.

Une union à six pour le charbon et l'acier

L'idée vient de Jean Monnet, un Français. Sachant qu'une unité politique n'est pas envisageable dans l'immédiat, étant donné la méfiance à l'égard de l'Allemagne qui est encore grande, il propose une construction de l'Europe à partir de réalisations concrètes dans le domaine économique. Le 9 mai 1950, Robert Schuman, ministre français des Affaires étrangères, propose la mise en commun par les pays européens de leur production de charbon et d'acier, matières indispensables à l'industrie et donc vitales pour la reconstruction. La Communauté européenne du charbon et de l'acier (CECA) rassemble, autour de la France et de l'Allemagne, l'Italie et le Benelux (union formée par la Belgique, les Pays-Bas et le Luxembourg). Le Royaume-Uni refuse d'y adhérer.

Robert Schuman (1886-1963), l'un des fondateurs de l'Europe.

1957 : s'unir pour être plus forts

Face aux "grands" (États-Unis et URSS), la France et l'Allemagne «n'ont qu'une façon de jouer un rôle décisif dans le monde : s'unir pour faire l'Europe», dit l'Allemand Konrad Adenauer. La première étape de cette construction européenne sera économique. Les six partenaires de la CECA (qui est une réussite) signent en 1957 le traité de Rome, créant la Communauté économique européenne (CEE) et l'Europe de l'atome (Euratom) pour développer la recherche nucléaire. Pour faciliter les échanges commerciaux, les marchandises circuleront entre ces pays sans payer de droits de douane. En 1962, la politique agricole commune (PAC) garantit aux agriculteurs la vente de leurs produits à un prix intéressant, ce qui les encourage à produire. C'est un succès : la CEE devient une puissance agricole.

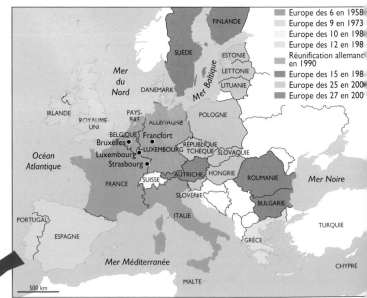

Les **étapes** de la construction européenne.

Europe des 6 en 1958
Europe des 9 en 1973
Europe des 10 en 198
Europe des 12 en 198
Réunification allemande en 1990
Europe des 15 en 198
Europe des 25 en 200
Europe des 27 en 200

500 km

La Journée de l'Europe, le 9 mai de chaque année, permet aux écoliers de se familiariser avec les cultures des autres pays de l'Union.

1992 : vers une union politique

En 1992, le traité de Maastricht donne naissance à l'Union européenne et prépare l'adoption d'une monnaie unique. Les électeurs français approuvent de justesse ce traité car beaucoup ont peur de ne plus pouvoir faire entendre leur voix dans un ensemble européen. Mais le processus se poursuit et, en janvier 2002, onze pays dont la France adoptent une monnaie commune, l'euro. L'enjeu est de donner désormais à l'Union plus de poids dans certains domaines, tels que la police et la justice ou la politique extérieure, et de réussir l'assimilation des nouveaux arrivants. En mai 2004, l'Union compte vingt-cinq pays membres. L'Europe est-elle un bien ? L'opinion est partagée : l'Union a apporté la paix entre ses membres et contribué à leur prospérité, mais le pouvoir européen paraît lointain et son fonctionnement compliqué. De 2005 à 2007, tous les Européens doivent dire s'ils acceptent la constitution qui a été rédigée pour préciser les pouvoirs de l'Union. Les Français, eux, l'ont rejetée le 29 mai 2005 à 54,87 % des suffrages.

Depuis 1979, les citoyens européens élisent leurs représentants au Parlement de Strasbourg.

Être européen, c'est :

- circuler librement d'un pays membre à l'autre ;
- choisir de faire des études dans un pays membre (programme Erasmus) et y obtenir des diplômes valables dans toute l'Union européenne ;
- pouvoir s'installer librement pour travailler dans un autre pays membre ;
- être protégé par des droits et pouvoir s'adresser au tribunal européen s'ils ne sont pas respectés dans son pays ;
- avoir une monnaie commune ;
- acheter librement des marchandises dans les pays membres de l'Union ;
- pouvoir voter aux élections locales et européennes dans tout autre pays membre où l'on réside.

Pièce de 2 euros. Cette face est commune aux quinze pays qui l'ont adoptée ; l'envers est une face nationale, propre à chacun.

La France et le monde

Pays de la Déclaration des droits de l'homme en 1789, la France se veut un modèle de liberté et d'égalité dans le monde. Elle a été une grande puissance dans le passé et s'efforce de le rester.

L'un des cinq "grands" à l'ONU

La France est depuis 1945 l'un des cinq pays qui siègent en permanence au Conseil de sécurité de l'ONU (Organisation des Nations unies). Créé en 1945 pour maintenir la paix dans le monde, cet organisme rassemble presque tous les pays indépendants de la planète. Ses membres cherchent à résoudre les conflits par la discussionn mais peuvent si nécessaire envoyer des soldats pour empêcher des pays de se battre. Le fait de siéger au Conseil, aux côtés des États-Unis, de la Russie, du Royaume-Uni et de la Chine, donne à la France un poids important dans le monde car c'est là que les décisions sont prises.

Dans le bloc des démocraties

Au lendemain de la Seconde Guerre mondiale, commence une période appelée la "guerre froide": le monde se partage en deux blocs ennemis, les démocraties occidentales derrière les États-Unis, les pays communistes derrière l'URSS. Chacun essaye d'agrandir sa zone d'influence en Afrique et en Asie. Dans ce contexte, la France adhère au Pacte atlantique, une alliance entre Américains et Européens de l'Ouest, qui assure la défense du continent grâce à un dispositif militaire, l'Organisation du Traité de l'Atlantique Nord (OTAN).

En 1945, la France entre à l'ONU et obtient des Alliés le droit d'être l'une des trois nations occupantes de la zone internationale créée en Allemagne.

La francophonie

Le français était la langue internationale au XVIIIe siècle, mais il a depuis reculé au profit de l'anglais. Cinquante pays "ayant la langue française en partage", voisins européens, Québécois, Africains ou Indochinois, se sont regroupés pour propager la langue ainsi que la culture et les valeurs démocratiques qu'elle défend. C'est une autre manière pour la France d'exercer une influence dans le monde.

Essai nucléaire sur l'atoll de Mururoa, en Polynésie. La France a pratiqué des essais, aériens ou souterrains, de 1966 à 1996.

La "grandeur de la France"

Au début de la Vᵉ République, le général de Gaulle souhaite affirmer l'indépendance du pays à l'égard des États-Unis : en 1966, il demande aux Américains de fermer leurs bases militaires en France. Le pays assure désormais sa propre défense grâce à la bombe atomique et, sans quitter l'Alliance atlantique, retire ses soldats de l'OTAN. Après la décolonisation, la France joue un nouveau rôle : elle se fait le défenseur des pays pauvres du tiers monde. Son influence sur ce continent est importante même si elle a tendance à reculer devant celle des États-Unis.

La plus petite des grandes puissances ?

Depuis la disparition du bloc communiste en 1989, les États-Unis restent la seule " super-puissance ", avec notamment l'armée la plus équipée du monde. Désormais, la France compte plus par l'importance de son économie et de sa culture que par son armée. Sans l'Europe, elle est trop petite, et dans l'Europe, elle doit défendre ses idées face à ses partenaires. Elle est à la pointe de certains combats qui l'opposent souvent à la puissance américaine, par exemple en défendant son cinéma contre les films américains ou en refusant les produits agricoles génétiquement modifiés (OGM) vendus par les États-Unis, qui lui paraissent dangereux. Elle défend également le rôle de l'ONU alors que les États-Unis veulent intervenir directement pour préserver leurs intérêts dans le monde, comme ils l'ont fait en 2003, en Irak. La France est traditionnellement proche des pays arabes, dont certains ont été ses colonies, et elle cherche un équilibre entre les deux camps dans le conflit qui les oppose à Israël. Enfin, elle se dit soucieuse des intérêts des pays pauvres.

Le poids de la France !

Un habitant de la planète sur cent seulement est français. La France se classe au 49ᵉ rang mondial en superficie. Mais c'est le 4ᵉ pays du monde pour ses exportations (ventes à l'étranger), le 2ᵉ (après les États-Unis) pour la vente de produits agricoles. Et elle appartient au groupe des sept pays les plus riches du monde.

Soldat français faisant partie de la force internationale mandatée par l'ONU pour intervenir en Serbie, en 1999.

Les Français d'aujourd'hui

Durant les vingt dernières années, le mode de vie, mais aussi la composition de la famille, les relations entre générations et le rapport au travail des Français ont considérablement évolué.

Une famille transformée

La famille a profondément changé. La raison principale est que les femmes sont désormais nombreuses à travailler ; elles le peuvent grâce au contrôle des naissances, et aussi parce que nourrices, crèches et écoles maternelles permettent de faire garder les jeunes enfants. Autre grande évolution : on se marie moins et un enfant sur deux naît hors mariage ; le divorce touche un mariage sur trois en province et un sur deux à Paris. Bien souvent donc, les familles sont recomposées : elles réunissent un nouveau couple avec leurs enfants respectifs ; ou encore un des parents vit seul avec ses enfants – on parle alors de "famille monoparentale".

Chacun sa vie

Les jeunes jouissent d'une plus grande liberté qu'avant : ils sortent et partent en vacances entre eux et disposent souvent d'argent de poche, ce qui en fait des consommateurs très recherchés. Si, dans les années 1950, beaucoup de jeunes entraient en apprentissage à quatorze ans et travaillaient aussitôt, maintenant, huit jeunes sur dix continuent jusqu'au baccalauréat et restent chez leurs parents. Nombreux sont ceux qui poursuivent des études supérieures. Quant à la génération des retraités, ils ont encore devant eux de longues années de vie (en 2005, l'espérance moyenne de vie pour les hommes et les femmes est de 80 ans et 2 mois !). Disposant de beaucoup de temps et d'un niveau de vie souvent confortable, ils sont amateurs de tourisme et de loisirs culturels, et animent des associations.

Avec les crèches et les écoles maternelles, les enfants sont désormais habitués à vivre très tôt en collectivité.

Croyances et pratiques religieuses

Il y a soixante ans, la grande majorité des Français était catholique ou protestante, une minorité était de religion juive. Aujourd'hui, si beaucoup disent croire en Dieu ou en une vie après la mort, seule une minorité est pratiquante. Les baptêmes, mariages et enterrements sont souvent les seules occasions d'aller à l'église. Pourtant les grands rassemblements religieux tels que les visites du pape ou les Journées mondiales de la jeunesse (JMJ) attirent les foules. Désormais, l'islam est devenu la deuxième religion en France, devançant protestantisme et judaïsme. Et des pratiques, comme le jeûne du Ramadan ou le sacrifice du mouton, sont suivies ouvertement.

Plus de souplesse

L'autorité du père, du professeur, du prêtre, du patron, de l'État ne va plus de soi : il faut convaincre. Chacun estime être seul maître de ses choix. Cette liberté morale amène à respecter celle des autres, donc à être tolérant face à des comportements autrefois condamnés, tels que le divorce, la vie en couple hors mariage ou l'homosexualité. La loi a tenu compte de ces changements : depuis 1999, le PACS (pacte civil de solidarité) s'adresse aux couples non mariés, y compris homosexuels. L'individualisme s'affirme, mais l'individu ne s'isole pourtant pas, et presque un Français sur deux adhère à une association : loisirs, défense de l'environnement, solidarité, tous les domaines sont représentés !

Pour l'islam, la prière est très importante. Elle permet d'exprimer son adoration envers Dieu, sans intermédiaire, plusieurs fois par jour.

Même si la loi s'adapte pour suivre l'évolution de la famille, les couples non mariés n'ont pas les mêmes droits que les couples mariés. Un guide est quelquefois utile pour s'y retrouver !

Les femmes, égales des hommes ?

Ce principe est inscrit dans la Constitution depuis 1946 mais la réalité suit lentement… Depuis 1965, la femme mariée peut ouvrir un compte en banque et décider de travailler sans l'autorisation de son mari. En 1970, une loi remplace l'autorité paternelle par une autorité "parentale". En 1965, les filles rattrapent puis dépassent les garçons dans le succès au baccalauréat, mais les grandes écoles ne leur sont ouvertes que depuis 1972. Dans l'entreprise, leurs salaires et leurs fonctions restent inférieurs à ceux des hommes. Et en politique, les Françaises élues sont bien moins nombreuses que dans d'autres pays européens !

Le temps des loisirs

Se distraire, voyager, entretenir sa forme physique sont des activités qui prennent de plus en plus de place dans la vie des Français !

Détente et vacances

Avec la diminution du temps de travail et l'allongement des congés payés, les Français ont beaucoup plus de temps libre qu'avant. Alors ils s'adonnent au sport et au jardinage, bricolent et voyagent plus. Chaque année, seize millions de Français partent à l'étranger, soit presque un sur quatre. Cependant nos voisins allemands, hollandais ou anglais se déplacent plus que nous. En 1950, le Club Méditerranée est créé et inaugure une nouvelle façon de passer des vacances, où tout est organisé pour que grands et petits s'amusent et fassent du sport. Mais tout cela ne doit pas faire oublier que pour beaucoup encore, les vacances restent trop chères.

Une scène du spectacle *Le dernier Caravansérail*, monté en 2003 au Théâtre du Soleil, à Vincennes, par Ariane Mnouchkine et sa troupe.

Le foot est le sport favori des jeunes qui le pratiquent dans la cour de récréation, dans la rue ou au sein d'un club.

La culture pour tous

Au lendemain de la Seconde Guerre mondiale, pour se distraire, les Français sortent de chez eux. Mais les loisirs ne sont pas les mêmes pour tous. Dans les années 1950, l'État crée un ministère chargé de mettre la culture à la portée de chacun et le général de Gaulle en confie la charge à l'écrivain André Malraux. Ce dernier invente les MJC (Maisons des jeunes et de la culture) qui, installées dans des villes de province, favorisent l'accès à la musique et au théâtre à un public peu habitué à ce genre de spectacles. Dans le même esprit naissent le TNP (Théâtre national populaire) à Paris et le festival d'Avignon, qui doivent leur succès à de grands acteurs comme Gérard Philipe. Les villes développent aussi des équipements sportifs et subventionnent les clubs : les noms de Saint-Étienne autrefois, d'Auxerre actuellement, sont immédiatement associés au prestige de leurs clubs de football.

Sportifs... en apparence

Les Français adorent le sport, du moins assis devant leur petit écran.
C'est pourquoi les chaînes de télévision s'arrachent à prix d'or les droits de retransmission des matchs. Côté vestimentaire, le sport est à la mode : s'habiller jeune, c'est porter des vêtements et des chaussures de grandes marques de sport. Mais l'habit ne fait pas toujours le moine !

Chacun le sien

Si auparavant, la famille tout entière se rassemblait devant la radio pour écouter une émission ou un feuilleton, ou autour de l'électrophone familial, aujourd'hui chacun, ou presque, possède son lecteur de CD ou son baladeur et peut écouter sa musique sans gêner les autres. Ordinateur et consoles de jeux, puis Internet à la fin des années 1990, ont fait leur apparition dans les foyers. De nouveaux comportements apparaissent : désormais, on " surfe " pour trouver de l'information, on " chatte " avec ses correspondants et on s'envoie depuis son portable des SMS.

La TV reine

La télévision occupe aujourd'hui une place privilégiée dans les loisirs des Français. Dans les années 1950, la télévision en noir et blanc entre dans les foyers. Une deuxième chaîne commence à émettre en 1967, puis une troisième en 1973, et la couleur fait son apparition. À partir de 1982, le choix s'élargit avec l'apparition des chaînes privées financées par la publicité : la Cinq, la 6 et la chaîne payante Canal +. Le choix s'étend encore dans les années 1990 avec le câble et le satellite. Quant aux magnétoscopes et lecteurs de DVD, ils permettent de voir les films de son choix. On passe désormais beaucoup de temps devant la télévision : en 2002, elle reste allumée cinq heures et demie par jour, et les enfants la regardent en moyenne plus de deux heures ! Cela change les mentalités dans bien des domaines : l'information devient avant tout une affaire d'images et les hommes politiques, comme les vedettes, doivent apprendre à s'en servir.

La liberté souffle sur les ondes

En 1945, pour empêcher la diffusion d'idées non démocratiques comme pendant la guerre, ou éviter l'invasion de la publicité, l'État veut contrôler la radio et s'en réserve le monopole. En 1982, les socialistes au pouvoir le suppriment. C'est l'explosion des radios privées. Vingt ans plus tard, la radio passe aussi par le câble, le satellite, et l'ADSL (Internet).

Les jeux vidéo détrônent les jouets traditionnels. Leurs adeptes sont en grande majorité de sexe masculin, de tous âges !

Repères chronologiques

Préhistoire-Antiquité : 1 million av. J.-C. – Ve siècle ap. J.-C.

Vers – 1 million Premiers outils taillés dans des galets.
Vers – 600 000 Maîtrise du feu.
Vers – 100 000 à – 32 000 L'homme de Neandertal vit en Europe.
Vers – 35 000
Arrivée des *Homo sapiens sapiens*.
Vers – 5500 Apparition des premiers villages et de l'agriculture.
Vers – 4000 à – 2000 Construction des mégalithes.
Vers – 1900 Début de l'âge du bronze.
Vers – 1200 Migration de peuples originaires de l'Est.
Vers – 600 Fondation de Marseille par les Phocéens.
Vers – 650 à – 450 Premier âge de fer avec des principautés celtiques dans l'est du pays.
Vers – 450 à notre ère Second âge de fer.
– 390 Les Gaulois assiègent Rome.
– 121 Création de la province romaine transalpine dans le sud de la Gaule.
Vers – 100 Construction des *oppida* gaulois.
– 50 La Gaule est conquise par les Romains.
177 Premières persécutions des chrétiens en Gaule.
253-275 Invasions des Alamans.
355 Seconde vague d'invasions avec les Francs et les Saxons.
451 Les Huns sont repoussés à Troyes.
476 Fin de l'Empire romain d'Occident.

Moyen Âge : V^e – XVe siècle

481 Clovis est couronné roi des Francs. Début de la dynastie des Mérovingiens.
497 Conversion de Clovis au christianisme.
732 Charles Martel arrête la progression des Arabes à Poitiers.
751 Pépin le Bref se fait élire roi et fonde la dynastie des Carolingiens.
800 Charlemagne est sacré empereur.
843 Les petits-fils de Charlemagne se partagent l'Empire au traité de Verdun La Francie Occidentale revient à Charles le Chauve.
855-862 Les Vikings ravagent l'Île-de-France.
910 Guillaume d'Aquitaine fonde le monastère de Cluny.
911 Rollon, roi des Danois, fonde le duché de Normandie.
987 Hugues Capet devient roi de France et fonde la dynastie des Capétiens.
1066 Conquête de l'Angleterre par Guillaume, duc de Normandie.
1095 Le pape Urbain II prêche la première croisade.
1098 Robert de Molesme fonde l'ordre de Cîteaux.
1163 Début de la construction de Notre-Dame de Paris.
1214 Le roi Philippe II Auguste remporte la bataille de Bouvines.
1270 Saint Louis meurt en croisade, à Tunis.
1312 Le roi Philippe le Bel abolit l'ordre des Templiers.
1328 Philippe VI de Valois devient roi de France. Début de la dynastie des Valois.
1337 Début de la guerre de Cent Ans.
1346 Philippe VI de Valois est battu par les Anglais à Crécy.
1347-1349 La Peste noire ravage l'Europe.
1356 Le roi Jean II le Bon est capturé par les Anglais à Poitiers.
1415 Les Anglais battent les Français à Azincourt.
1420 Traité de Troyes : la France est remise au roi d'Angleterre.
1429 Jeanne d'Arc délivre Orléans. Charles VII est couronné à Reims.
1453 Fin de la guerre de Cent Ans.
1464-1472 La guerre du "Bien public" : Louis XI face aux grands féodaux.

Époque moderne : XVIe – XVIIIe siècle

1495 Débuts des guerres d'Italie.
1515 François Ier remporte la bataille de Marignan.
1534 Jacques Cartier au Canada.
1552 Henri II conquiert Metz, Toul et Verdun.
1559 Traité de Cateau-Cambrésis.
1572 Massacre des protestants à Paris le jour de la Saint-Barthélemy (24 août).
1589 Henri IV succède aux Valois. Début de la dynastie des Bourbons.
1598 Édit de Nantes et paix de Vervins.
1610 Assassinat d'Henri IV.
1617 Louis XIII, roi de France, assume le pouvoir après la régence de Marie de Médicis.
1618 Début de la guerre de Trente Ans.
1624 Richelieu, conseiller du roi.
1627 Siège de La Rochelle.
1643 Mort de Louis XIII, régence d'Anne d'Autriche.
1648 Fin de la guerre de Trente Ans avec les traités de Westphalie.
1648-1653 Révoltes de la Fronde.
1659 Paix avec les Habsbourg avec le traité des Pyrénées.
1661 Mort de Mazarin, Louis XIV gouverne seul.
1685 Révocation de l'Édit de Nantes.
1714 La France concède une partie du Canada à l'Angleterre.
1715 Mort de Louis XIV, régence de Philippe d'Orléans.
1723 Début du règne de Louis XV.
1745 Victoire à Fontenoy sur le roi de Prusse.
1751 Début de la publication de l'*Encyclopédie* de Diderot.
1763 Fin de la guerre de Sept Ans ; la France perd l'Inde et le Canada.
1774 Mort de Louis XV, début du règne de Louis XVI.
1778-1788 Grave crise économique.

Révolution : 1789-1799

1789 5 mai : Louis XVI convoque les États généraux.
17 juin : Serment du Jeu de Paume
14 juillet : prise de la Bastille

26 août : Déclaration des droits de l'homme.
1791 Louis XVI est arrêté à Varennes.
1792 Avril :

entrée en guerre contre l'Autriche
20 septembre : victoire des armées révolutionnaires à Valmy
21 septembre :

la Convention remplace l'Assemblée constituante, Louis XVI est déposé.
22 septembre : la République est

proclammée.
1793 21 janvier : Louis XVI est guillotiné
Octobre : début de la Terreur.
1794 27 juillet : exécution de

Robespierre et fin de la Terreur.
Octobre 1795 Le Directoire succède à la Convention.
1796-1798 Campagnes

de Bonaparte en Autriche, Italie et en Égypte.
1799 Coup d'État de Bonaparte le 9 novembre. Début du Consulat.

XIXᵉ siècle

1800 Bonaparte est nommé Premier consul ; victoire à Marengo.
1801 Concordat.
1802 Bonaparte, consul à vie.
1804 Création du Code civil.
2 décembre : Napoléon est sacré empereur.
1805 Défaite à Trafalgar. Victoire à Austerlitz.

1806 Début du Blocus continental contre l'Angleterre.
1812 Campagne de Russie.
1814 Napoléon est exilé à l'île d'Elbe. 1ʳᵉ Restauration : Louis XVIII est roi de France.
1815 Les Cent Jours (20 mars-20 juin). Défaite de Waterloo. Napoléon est exilé à Sainte-Hélène.

Début de la 2ᵉ Restauration.
1824 Charles X devient roi de France.
1830 Journées des Trois Glorieuses (27, 28, 29 juillet). Début de la monarchie de Juillet : Louis-Philippe est roi des Français Expédition d'Alger.
1848 24 février : abdication de Louis-Philippe,

proclamation de la Seconde République
Mars : instauration du suffrage universel masculin
10 décembre : Louis-Napoléon Bonaparte est élu président de la République.
1852 Début du Second Empire : après plébiscite des électeurs. Louis-Napoléon devient Napoléon III.

1870 Guerre franco-prussienne : Napoléon III capitule à Sedan.
4 septembre ☆ proclamation de la IIIᵉ République.
1871 18 mars : insurrection de la Commune de Paris
10 mai : traité de Francfort, la France perd l'Alsace et la Lorraine
28 mai : écrasement

de la Commune.
1882 L'enseignement primaire devient obligatoire, gratuit et laïc de 6 à 13 ans.
1887 Création de l'Union indochinoise.
1892 Scandale de Panamá.
1894 Début de l'affaire Dreyfus.
1889 Inauguration de la tour Eiffel lors de l'Exposition universelle.

Du XXᵉ siècle à aujourd'hui

1905 Séparation de l'Église et de l'État.
1913-1920 Raymond Poincaré, président de la République.
1914 1ᵉʳ août : début de la Première Guerre mondiale.
1916 Février-décembre Bataille de Verdun.
1918 11 novembre : Signature de l'armistice.
1919 28 juin : traité de Versailles : la France récupère l'Alsace et la Lorraine.

1923 Occupation de la Ruhr par les troupes françaises.
1926-1929 Ministère Poincaré, stabilisation du franc.
1932-1935 Crise économique.
1936 Victoire du Front populaire avec Léon Blum.
1938 30 septembre : signature des accords de Munich.
1939 3 septembre : déclaration de guerre à l'Allemagne.
1940 Mai : invasion de la France

18 juin : appel du général de Gaulle à la résistance
22 juin : signature de l'armistice.
11 juillet : proclamation du gouvernement de Vichy.
1942 11 novembre : la zone libre est envahie par les Allemands.
1944 6 juin : débarquement allié en Normandie.
15 août : débarquement en Provence

25 août : libération de Paris.
1945 Lois sur le vote des femmes, nationalisations, création de la Sécurité sociale.
1946 26 octobre : Instauration de la IVᵉ République.
1954 Fin de l'occupation française en Indochine ; début de la guerre d'Algérie.
1956 Indépendances du Maroc et de la Tunisie.
1957 Traité de

Rome : création de la Commission économique et européenne (CEE)
1958 28 septembre : début de la Vᵉ République .
21 décembre : le général de Gaulle est élu président.
1962 Indépendance de l'Algérie.
1968 Événements de mai.
1969 28 avril : démission du général de Gaulle.
20 juin : élection de Georges Pompidou.

1974 Valéry Giscard d'Estaing, président de la République.
1979 Premières élections du Parlement européen.
1981-1995 Présidence de François Mitterrand.
1992 Traité de Maastricht.
1995-2007 Présidence de Jacques Chirac.
2002 Janvier : adoption de l'euro.
2007 Nicolas Sarkozy, président de la République.

Index

Crédits iconographiques

Les dessins du personnage de Junior ont été réalisés par KILLIWATCH/Christian Maréchal.
Toutes les cartes ont été réalisées par Édigraphie, Rouen.

Académie de Mâcon : 57b
Agence Roger-Viollet : collection Roger-Viollet 152h, 153b, 156h, 156b, 157h, 164h, 178h ; Harlingue/Roger-Viollet 165b
akg-images : archives akg 107bg, 136b, 137b, 138b, 150 ; bibliothèque royale de Bruxelles 71h ; Bibliothèque nationale de France 76 ; musée cantonnal des Beaux-Arts, Lausanne 91h ; Bibliothèque Amiens Métropole 137h ; Bildarchiv Monheim 62mg, 63md ; British Library 70h ; CDA/Guillot 89m ; Erich Lessing 90h ; Europ. Parlament 179b ; Gilles Mermet, Museo de la casa de la Mondeda, Potosi 87h ; Jérôme da Cunha 98b ; Musée d'archéologie méditerranéenne 25b ; Paul Almasy 166b ; Paul M.R. Maeyaert, abbatiale Sainte-Foy, Conques 56h ; ullstein bild 158
Bernard Lambot : 25md
Bib. d'Amiens Métropole : 61md
Bib. de Toulouse, cl. G. Boussières : 41b
Bib. Inguimbertine, Carpentras : 65h
Bib. multimédia de Valenciennes : 52h
Bib. municipale de Besançon, cl. CNRS-IRHT : 52bg, 59h
Bib. municipale de Dijon, cl. F. Perrodin : 52bd
Bib. nationale de France, Paris : département des manuscrits occidentaux 38-39, 45h, 56b, 62h, 66, 67h, 69h, 72b, 79h, 80bg, 80bd, 80h, 81h ; département des monnaies, médailles et antiques : 66h ; Arsenal 67b ; département des manuscrits orientaux : 87b ; réserve des livres rares : 89b ; cabinet des Estampes : 93h.
Bridgeman Giraudon : Musée Crozatier, le Puy-en-Velay 6-7 ; Abbaye du Mont-Cassin, Italie 45h ; musée de l'Île-de-France 105b ; musée de la Chartreuse, Douai 117b ; bib. des arts décoratifs, Archives Charmet 155h
Centre des monuments nationaux/Caroline Rose : 63h
Claude Quiec : 44-45, 74-75, 79
Clotilde Lefebvre : 148m, 167bd, 169b, 179m, 182h, 182b, 183b
CNP-Ministère de la Culture : 12g,13h
Dominique Thibault : 44h, 46-47, 49, 51b, 54-55, 60b, 61h, 78h ; sur un crayonné de C. Quiec 57h, 78b
Éditions Errance/J.-C. Gaulvin : 32h
Estate Brassaï-RMN, Musée national d'art moderne - Centre Georges Pompidou, Paris : 154
Étienne Souppart : 86b, 95b, 99b, 104h, 128h, 129h, 129b
Fonds de MM Albert et Jean Seeberger, Spadem : 142
Gallimard Loisirs : Jean-Marie Kacédan 43b ; Jean-François

Peneau 62-63 ; R. Hutchins 64
Inventaire général Centre/cl. R. Malnoury, ADAGP : 61bg, 63bd
Magnum photos : Gueorgui Pinkhassov 130-131 ; Nicolas Tikhomiroff 167bg ; Peter Marlow 168b, 185b ; Bruno Barbey 168h, 169m, 170b, 171h, 175b ; Guy Le Querrec 171b ; Patrick Zachmann 172b, 183h ; Raymond Depardon 173b ; Jean Gaumy 174b, 181h ; Ferdinando Scianna 177h, 186h ; Abbas 177b, 181b ; Stuart Franklin 179h ; Burt Glinn 180b ; Richard Kalvar 184b
Musée archéologique, Dijon, cl. F. Perrodin : 31h, 31b (illustration de G. Fevre)
Musée Calvet, Avignon : 16b, 30b
Musée d'art et d'histoire de la ville de Mcudon : 92b
Musée d'Histoire contemporaine-BDIC : département affiches et estampes 121b, 132 h, 132b, 137m, 138h, 138m, 139hd, 143h, 143b, 144b, 148h, 148b, 151h, 151bg, 155d, 159hg, 159hg, 159b, 163hd, 165h, 165m, 166h, 169h, 170h, 170bg, 171m, 173m, 175h, 175m, 176b, 177md ; archives photographiques : 146b, 147b, 149b, 155b, 157b, 161b, 162, 163hg, 164b
Musée d'Histoire de Marseille, cl. Ceter : 20-21
Musée de Bibracte-CAE, Mont Beuvray : 27b
Musée de l'Arles antique, Arles, cl. M. Heller : 32h, 34h, 35md
Musée de l'Armée, Paris : 85b, 101, 125h, 146h, 147h, 160, 161h
Musée de la Révolution française, Vizille : 112h, 113h, 113b
Musée de Picardie, Amiens : 40m
Musée du Châtillonnais, Châtillon-sur-Seine : 22h
Musée Vivenel, Compiègne, cl. CAE du Mont Beuvray : 24h
Musées du Mans : 53h
Nationalmuseet, Copenhague, Danemark : 25mg
Paolo Ghirardi : 9, 10,11, 15h, 16 hd et bg, 17h, 18h, 19h, 22m, 23b, 24m
Photo Scala/ Bargello, Florence, avec l'autorisation du Ministero Beni e Att. Culturali : 53b
Photo Scala/Malles Venosta, San Benedetto : 40b
Photo Scala/Museo di Capodimonte, avec l'autorisation du Ministero Beni e Att. Culturali : 85h
Photothèque des musées de la ville de Paris/Musée Carnavalet : 126b ; cl. Joffre 109h, 120h, 123h, 127m ; cl. Degraces 110-111 ; cl. Berthier 111b ; cl. Svartz 114h ; cl. Rémi Briant 114b, 125b, 127h
Photothèque des musées de la ville de Paris/Musée d'Art moderne : cl. Claire Pignol 152b ; cl. Jean-Yves Trocaz 153md
Pierre-Marie Dequest : 26h, 27h, 28-29, 33h, 35h, 36-37

Renault Communication/DR : 139m, 139b, 172h, 176h
RMN/BPK, Berlin : 153h
RMN/ Bulloz : musée d'Histoire de France, Paris 73h ; museo civica, Bologne 81b ; musée Carnavalet, Paris 92h, 107bd, 109b ; Bibliothèque nationale de France 110b
RMN/château de Compiègne : photo RMN 117h ; Daniel Arnaudet 124h
RMN/château de Fontainebleau : Gérard Blot 116b
RMN/châteaux de Malmaison et Bois-Préau : Daniel Arnaudet 107h
RMN/châteaux de Versailles et de Trianon : Franck Raux 77 ; Gérard Blot 82-83, 94, 99m, 100b, 104b, 105h, 108h, 126h, 133h, 151bd ; Gérard Blot/Jean Schormans 118-119 ; photo RMN/DR : 96h, 104h, 115b, 121h ; Christian Jean 96-97, 98 ; El Meliani 120b
RMN/collection particulière : 127b
RMN/musée Condé, Chantilly : René-Gabriel Ojéda 8m, 48h, 68, 70-71, 89h ; Harry Bréjat : 99h
RMN/musée de la voiture, Compiègne : Daniel Arnaudet 124b ; Hervé Lewandowski 139hg
RMN/musée des Antiquités nationales, Saint-Germain-en-Laye : photo RMN/DR 10hd ; Jean-Gilles Berizzi 12hd ; Hervé Lewandowski 12bd ; Martine Beck-Coppola 13bd ; Gérard Blot 14h ; Jean Schormans 14bg ; Loïc Hamon 18b
RMN/musée des Beaux-Arts, Lille : René-Gabriel Ojéda 122h
RMN/musée des Beaux-Arts, Lyon : René-Gabriel Ojéda 141b
RMN/musée des Beaux-Arts, Nantes : Gérard Blot 112b
RMN/musée des Beaux-Arts, Valenciennes : René-Gabriel Ojéda 91b
RMN/musée Dobrée, Nantes : Michèle Bellot 84h
RMN/musée du Louvre, Paris : Daniel Arnaudet 40h ; photo RMN/DR 42, 65 ; Martine Beck-Coppola 43h ; Caroline Rose 58b ; Hervé Lewandowski 69b, 72h, 116h ; Michèle Bellot 86h, 106d, 123b ; René-Gabriel Ojéda 88g, 106g, 115h ; Gérard Blot/Jean Schormans 88d ; Jean-Gilles Berizzi
RMN/musée des Monuments français, Paris : Martine Beck-Coppola 70-71
RMN/musée du Petit Palais, Avignon : René-Gabriel Ojéda 71b
RMN/musée Picasso, Paris, René-Gabriel Ojéda 141md
RMN/musée du quai Branly : Jean-Gilles Berizzi 102-103, 122b
RMN/musée national de Pau : René-Gabriel Ojéda 93b
RMN/musée national du Moyen Âge - Thermes de Cluny : Gérard Blot 58h
RMN/musée d'Orsay : Hervé Lewandowski 128b, 129m, 140h ; Jean Schormans 133b ; René-Gabriel Ojéda 140b
RMN/musée national d'Art moderne - Centre Georges Pompidou/Succesion H. Matisse : Jean-Claude Planchet 141h
Roger Agache-Ministère de la Culture, maquette de H. Bernard (Musée Boucher-de-Perthes, Abbeville) : 33
Service régional de l'Archéologie, Clermont-Ferrand, cl. CAE du Mont Beuvray : 25h
Statens Historiska Museum, Stockholm, Suède : 51m
The Bunge Museum, Gotland, Suède : 30
Ville d'Arles/Graphique et Patrimoine : 32b